Winter Colors

Adult Coloring Book

CREATIVE COLORING PRESS

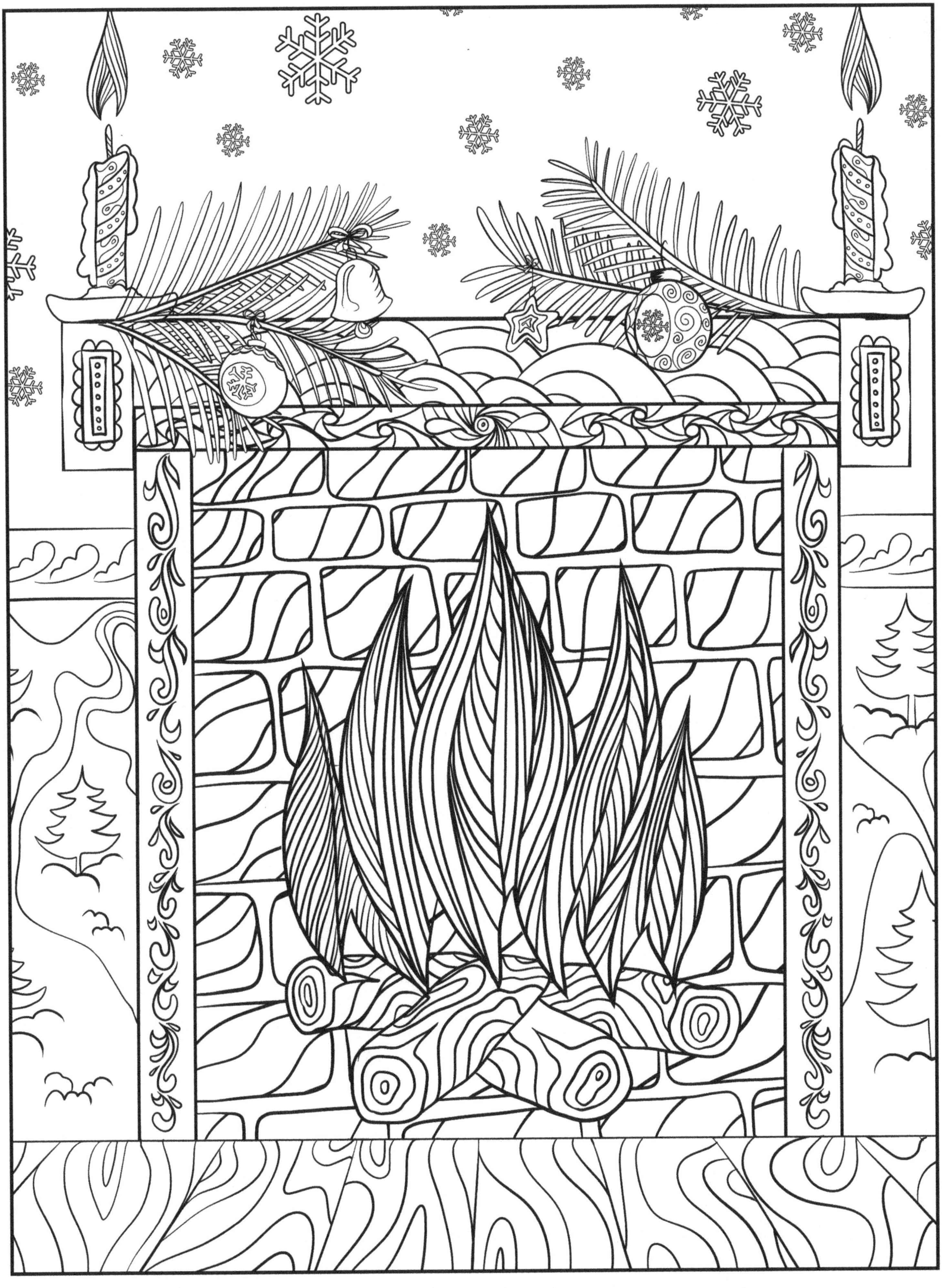

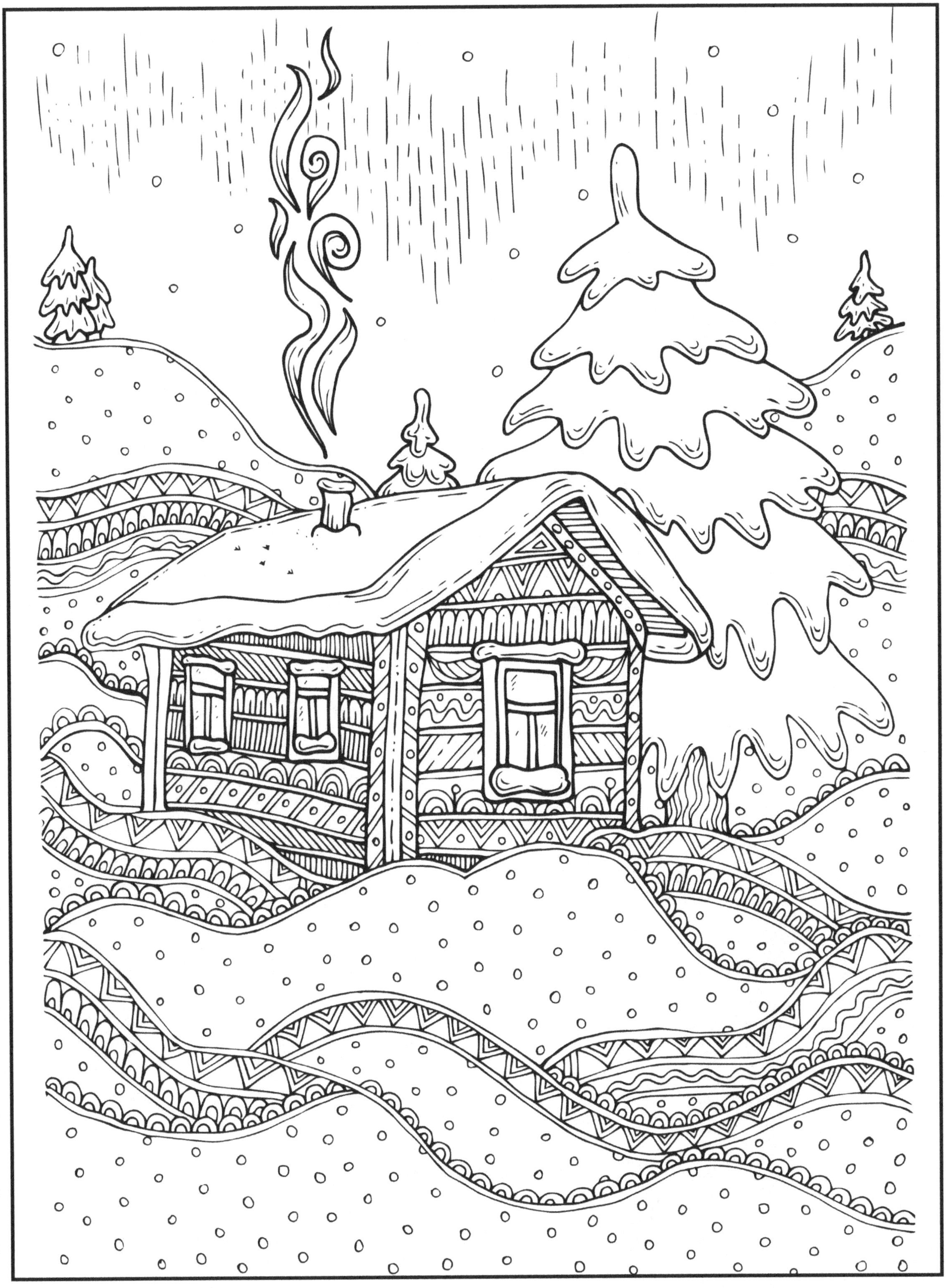

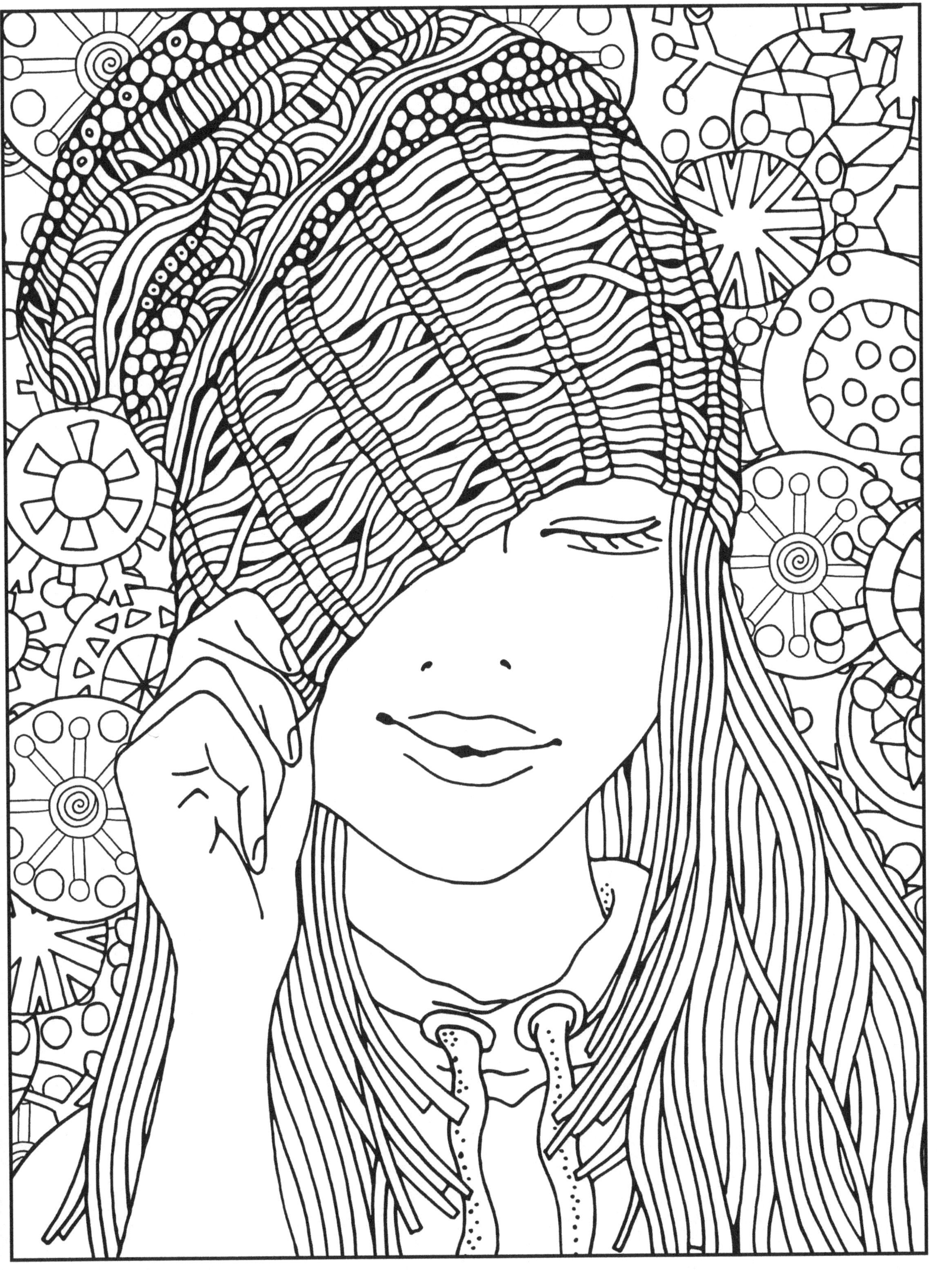

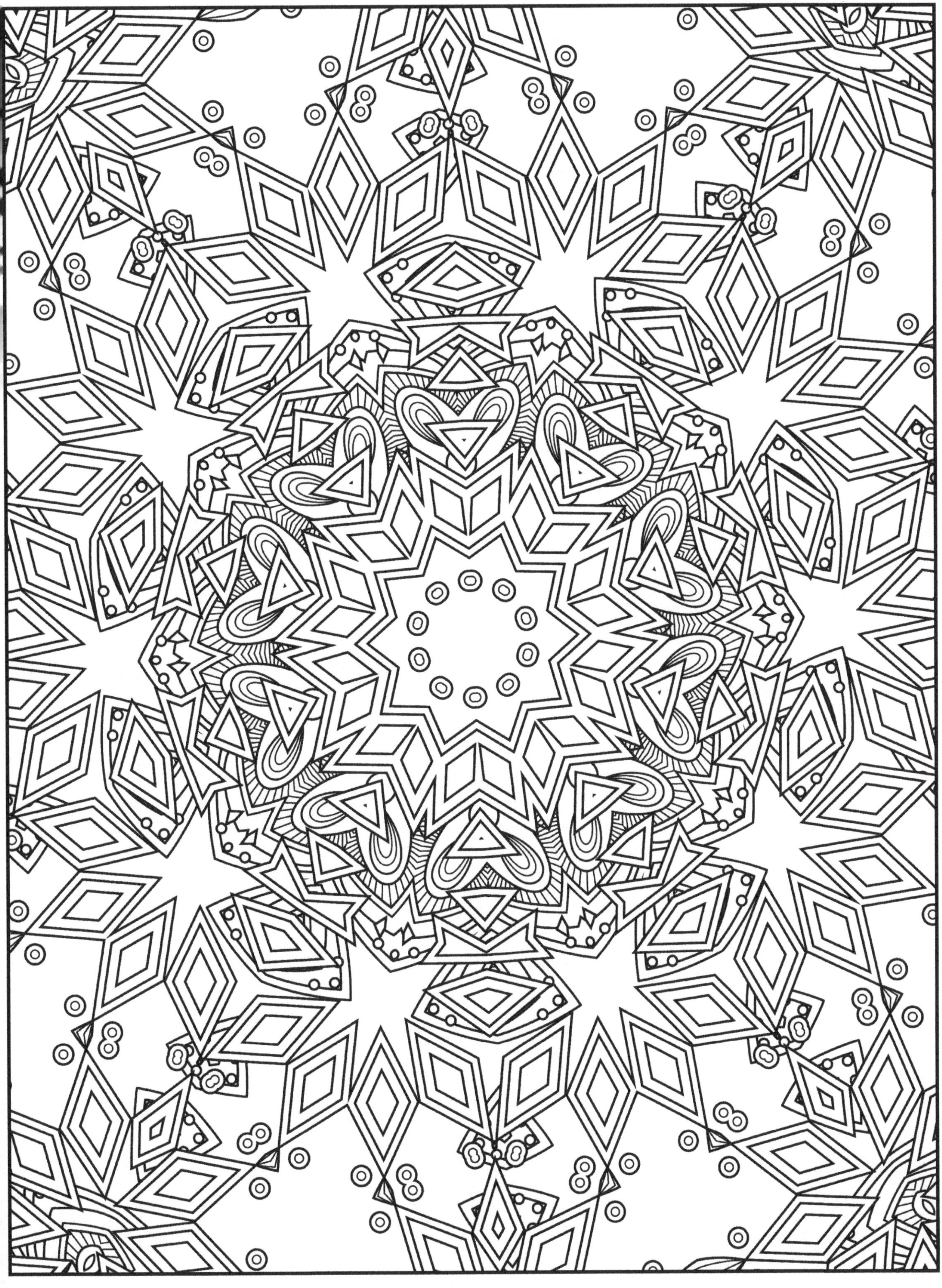

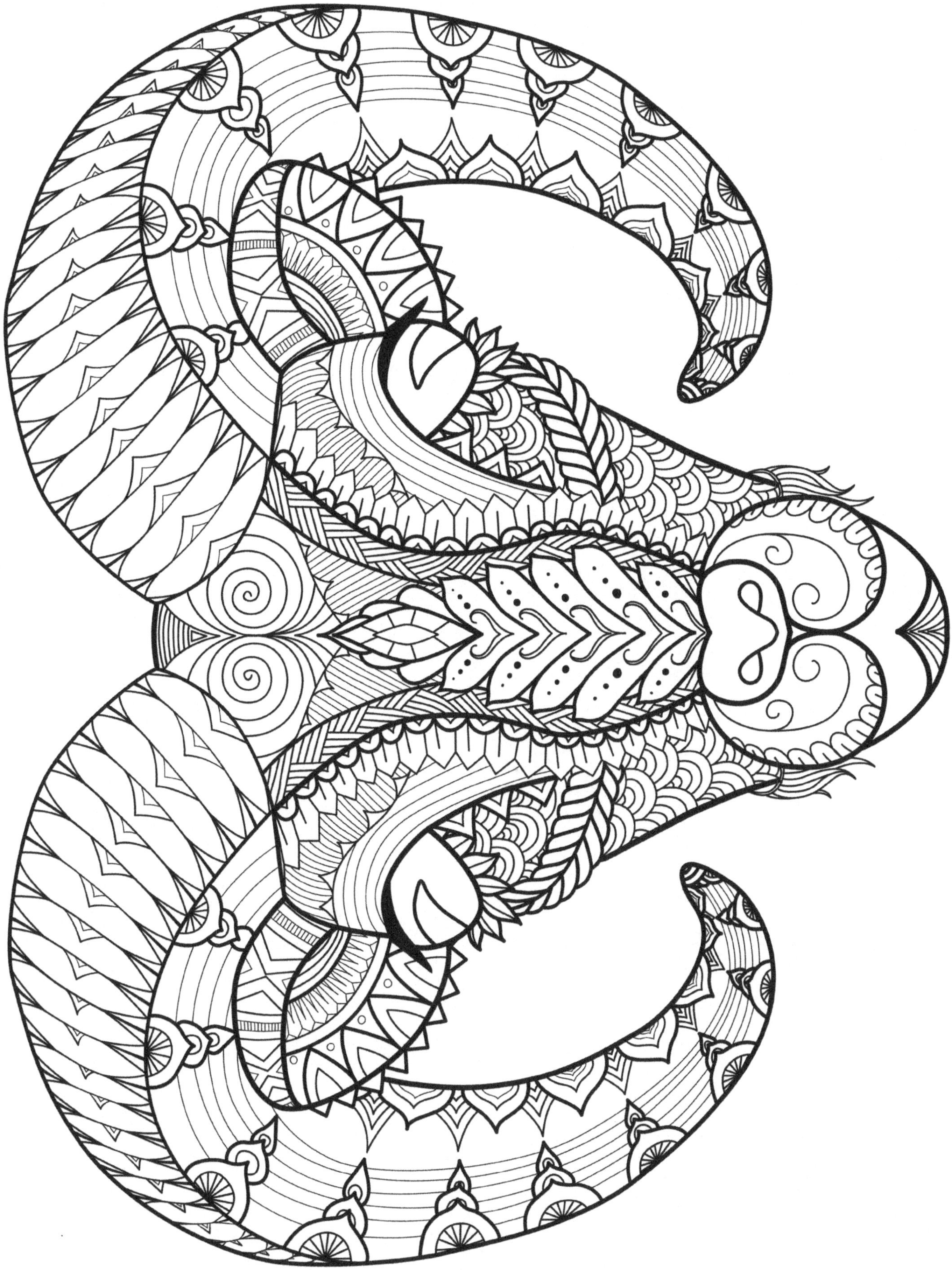

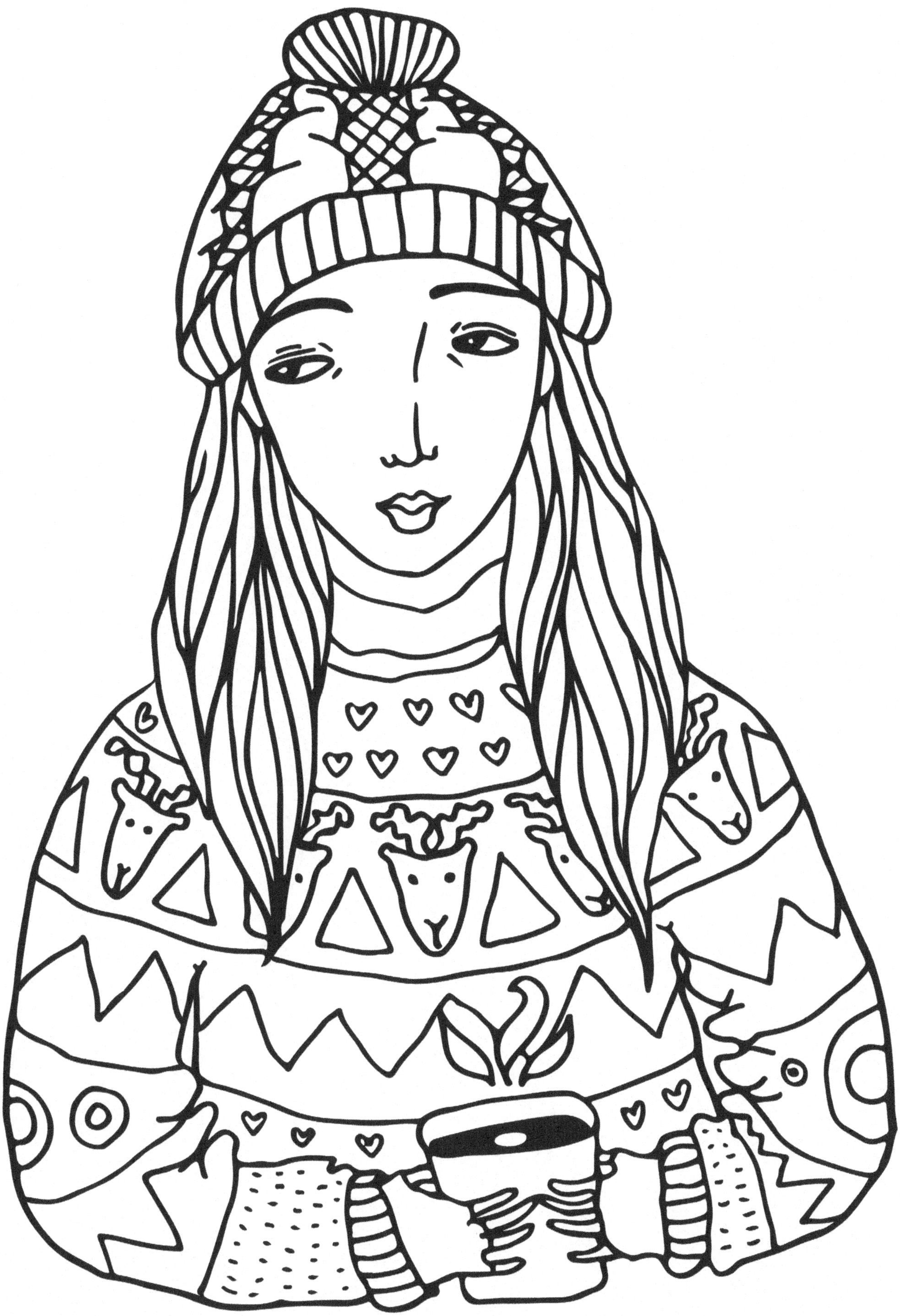

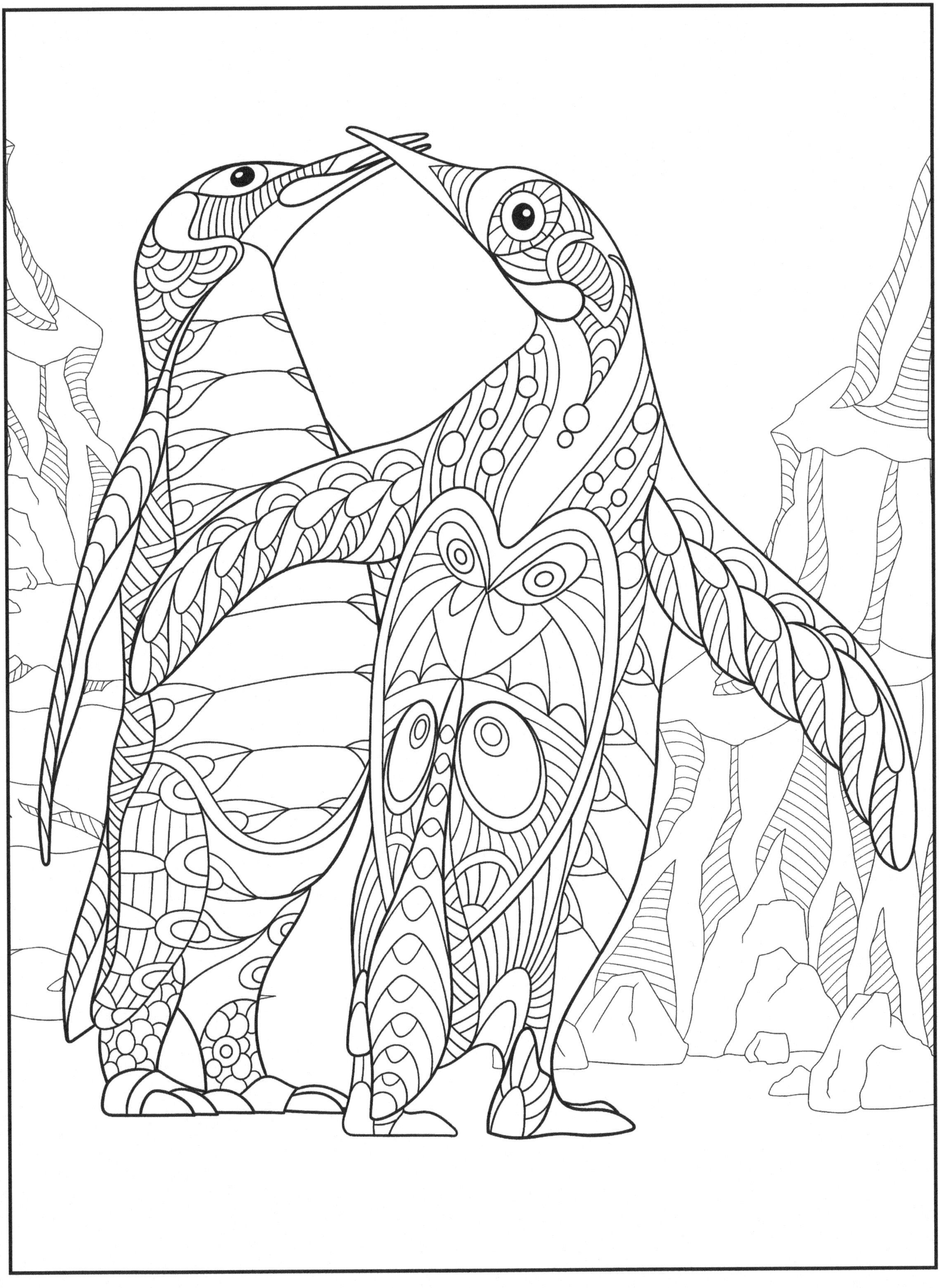

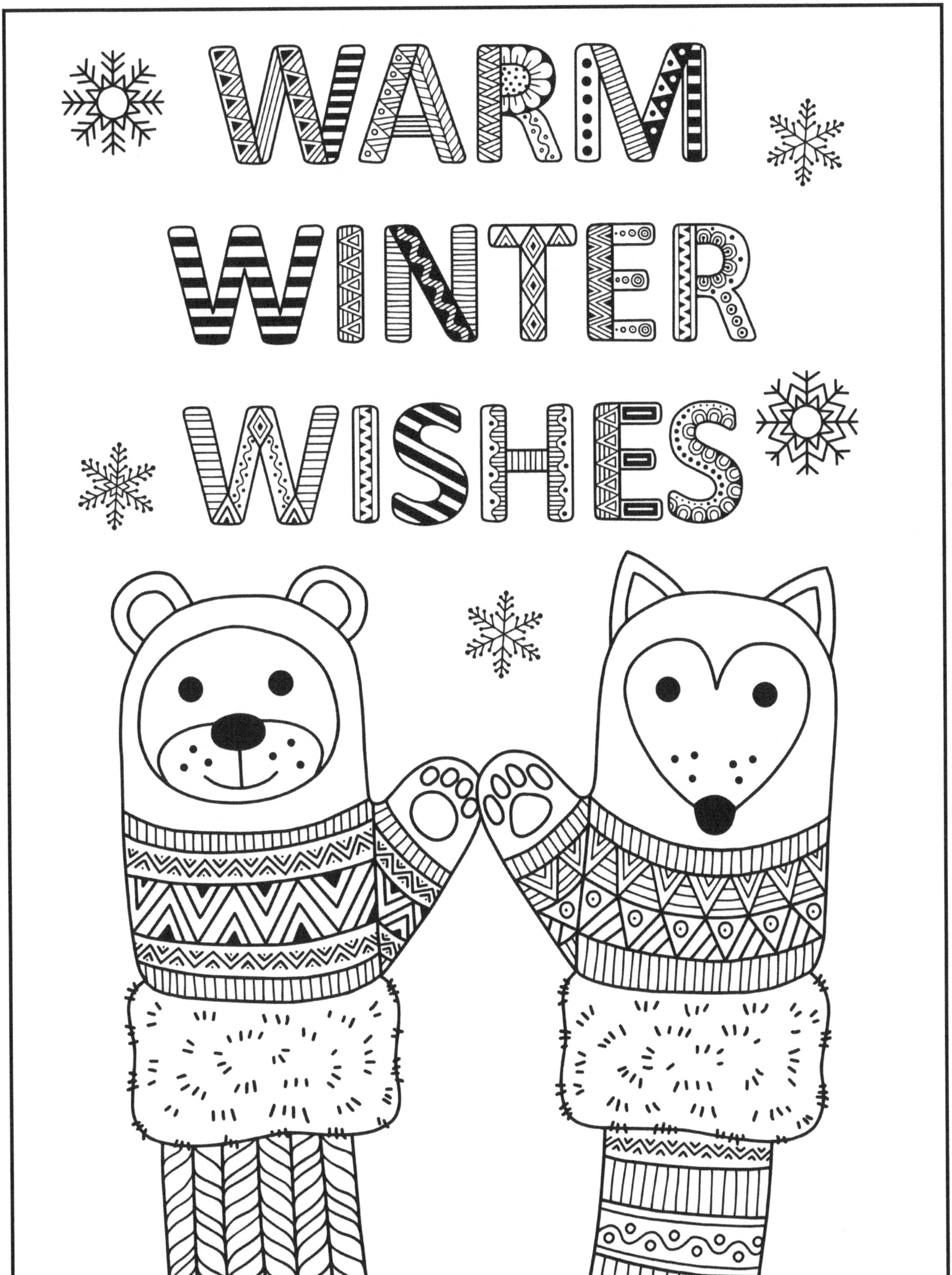
WARM
WINTER
WISHES

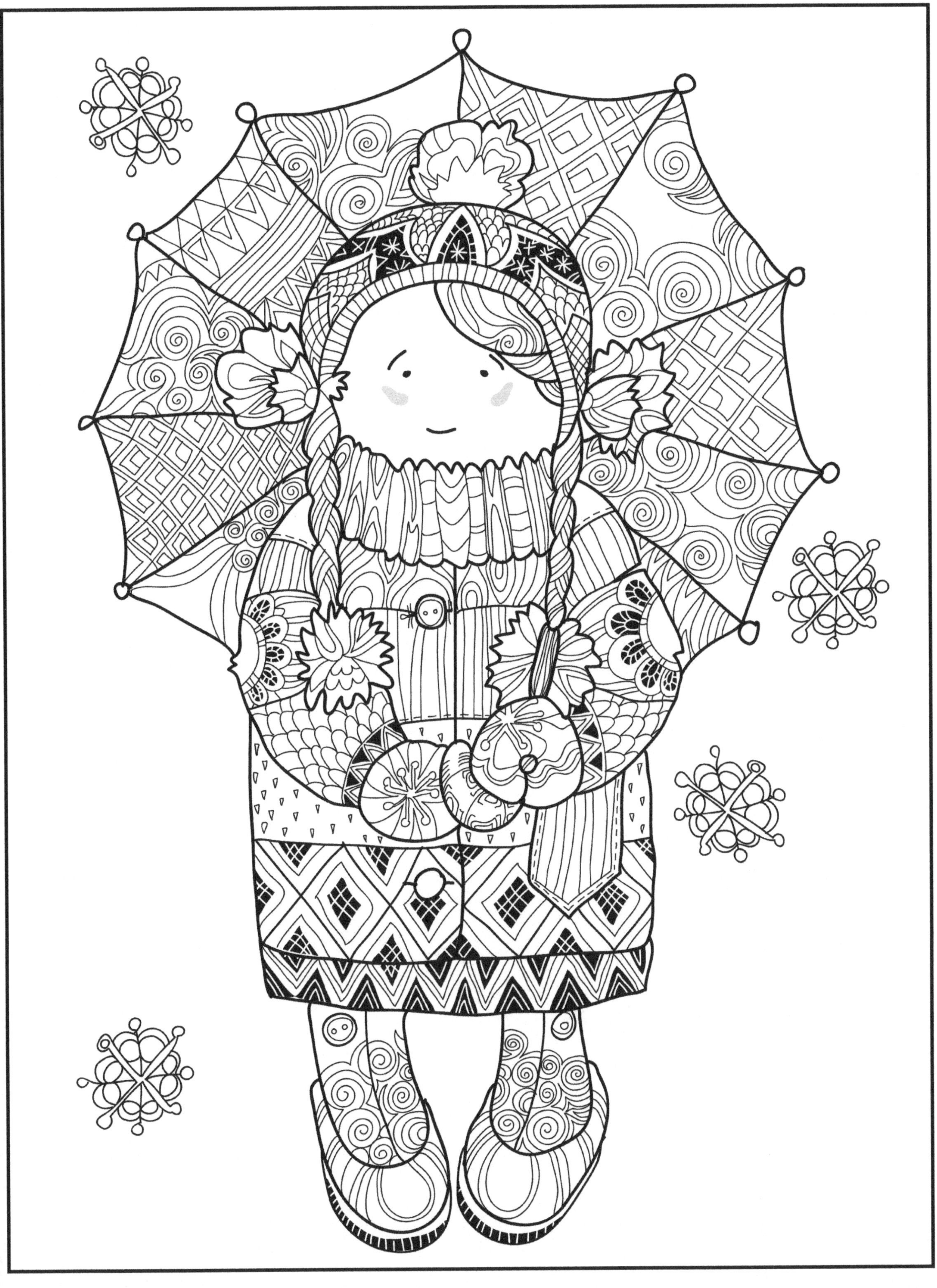

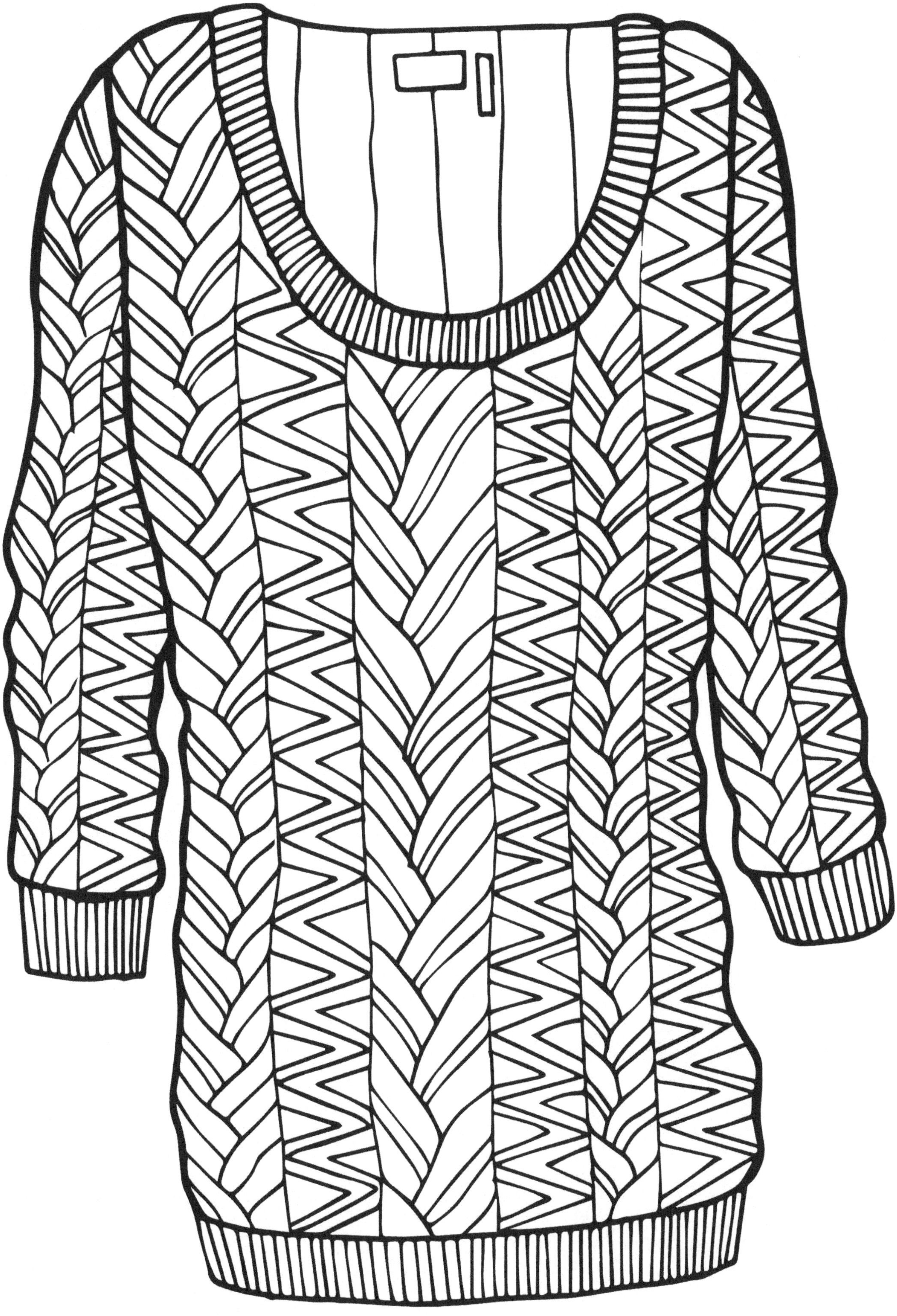

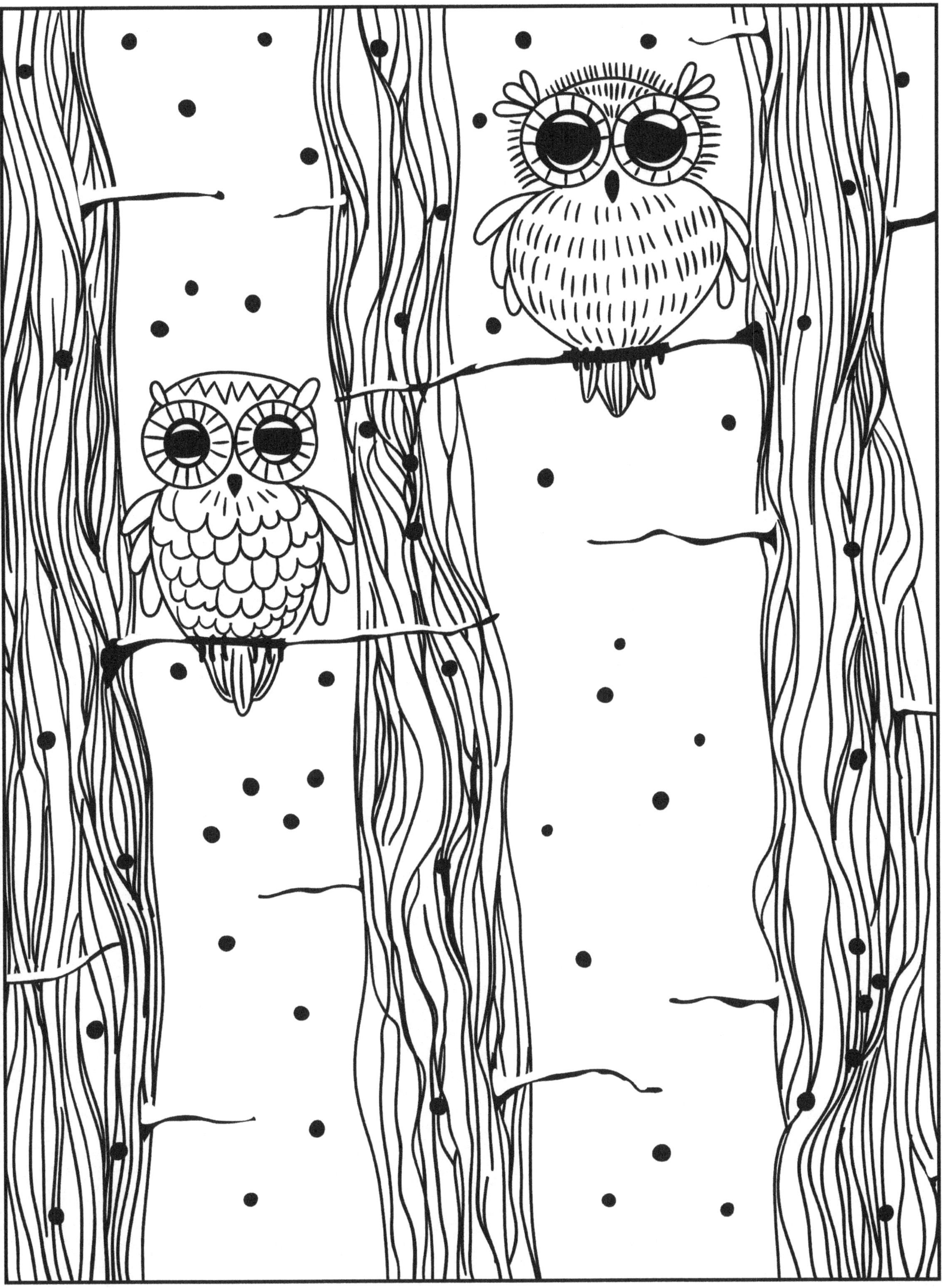

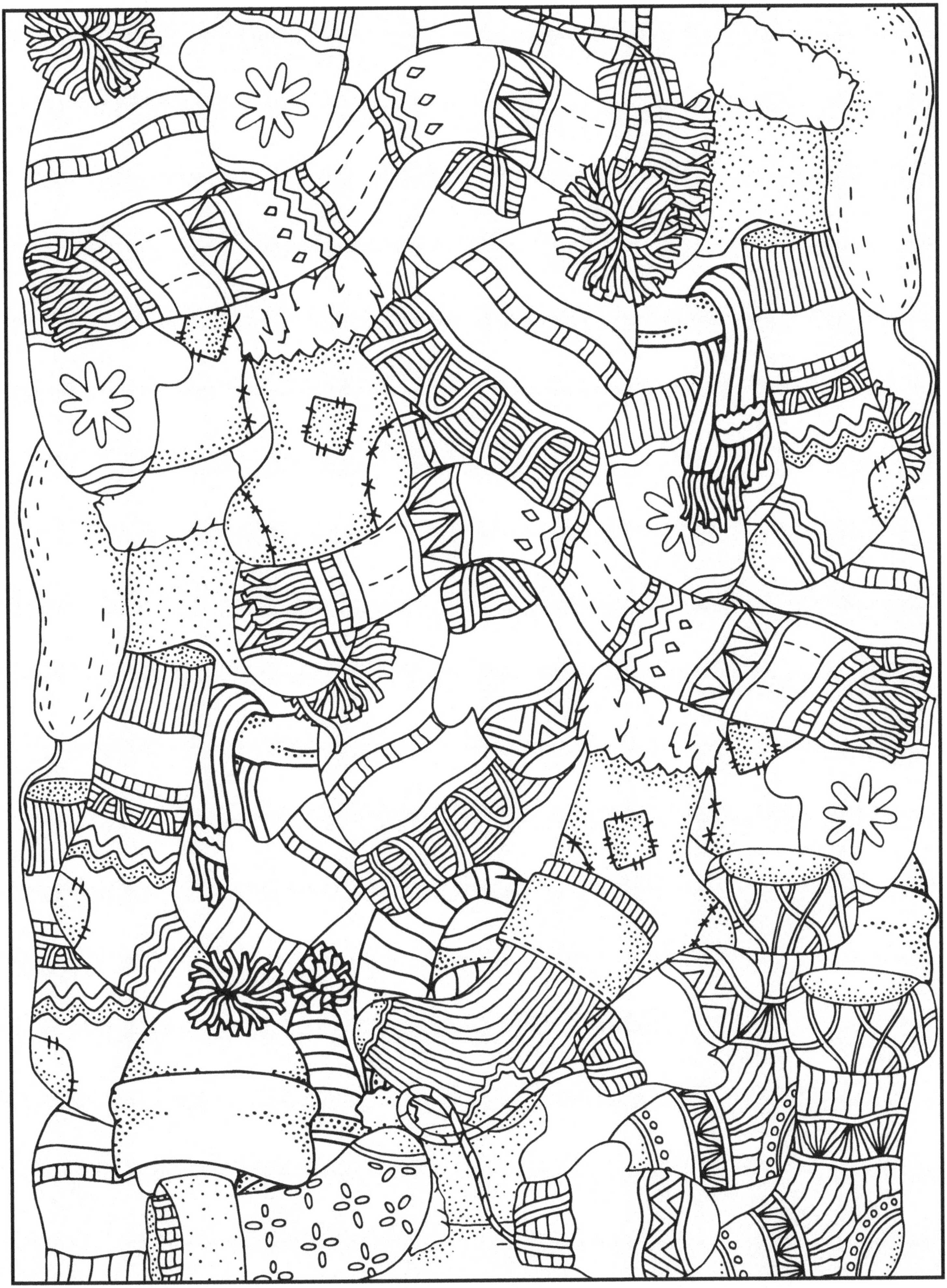

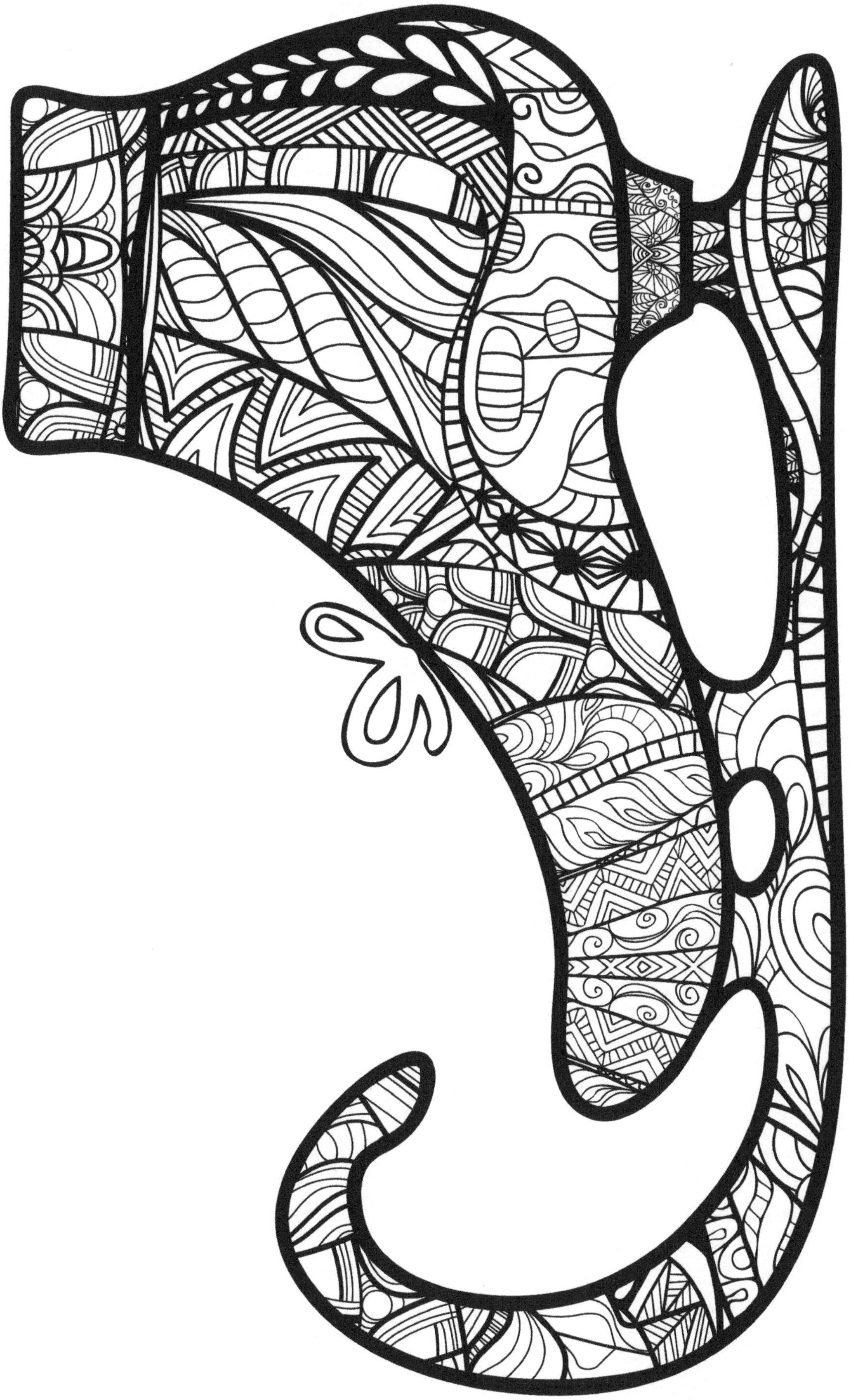

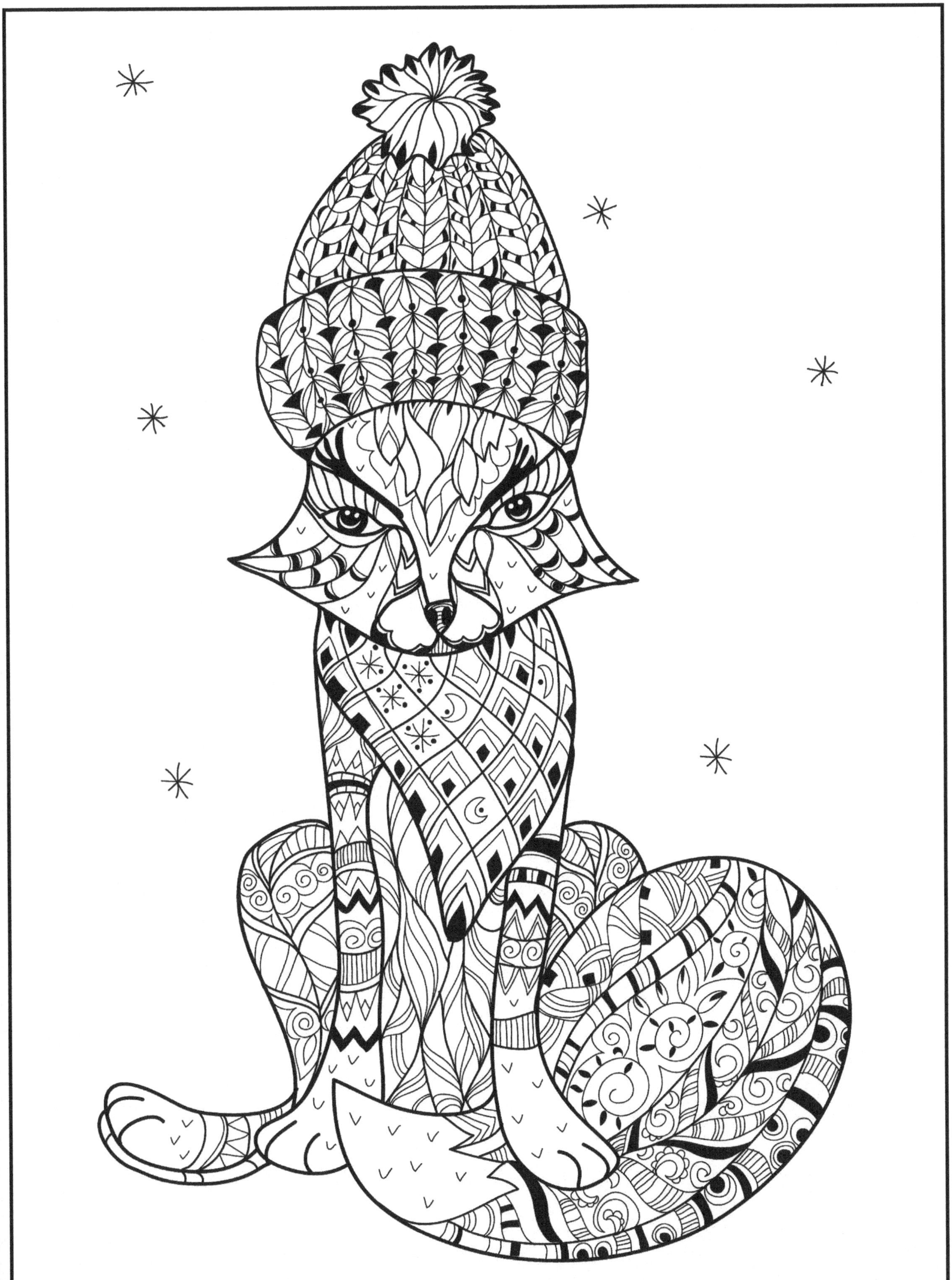

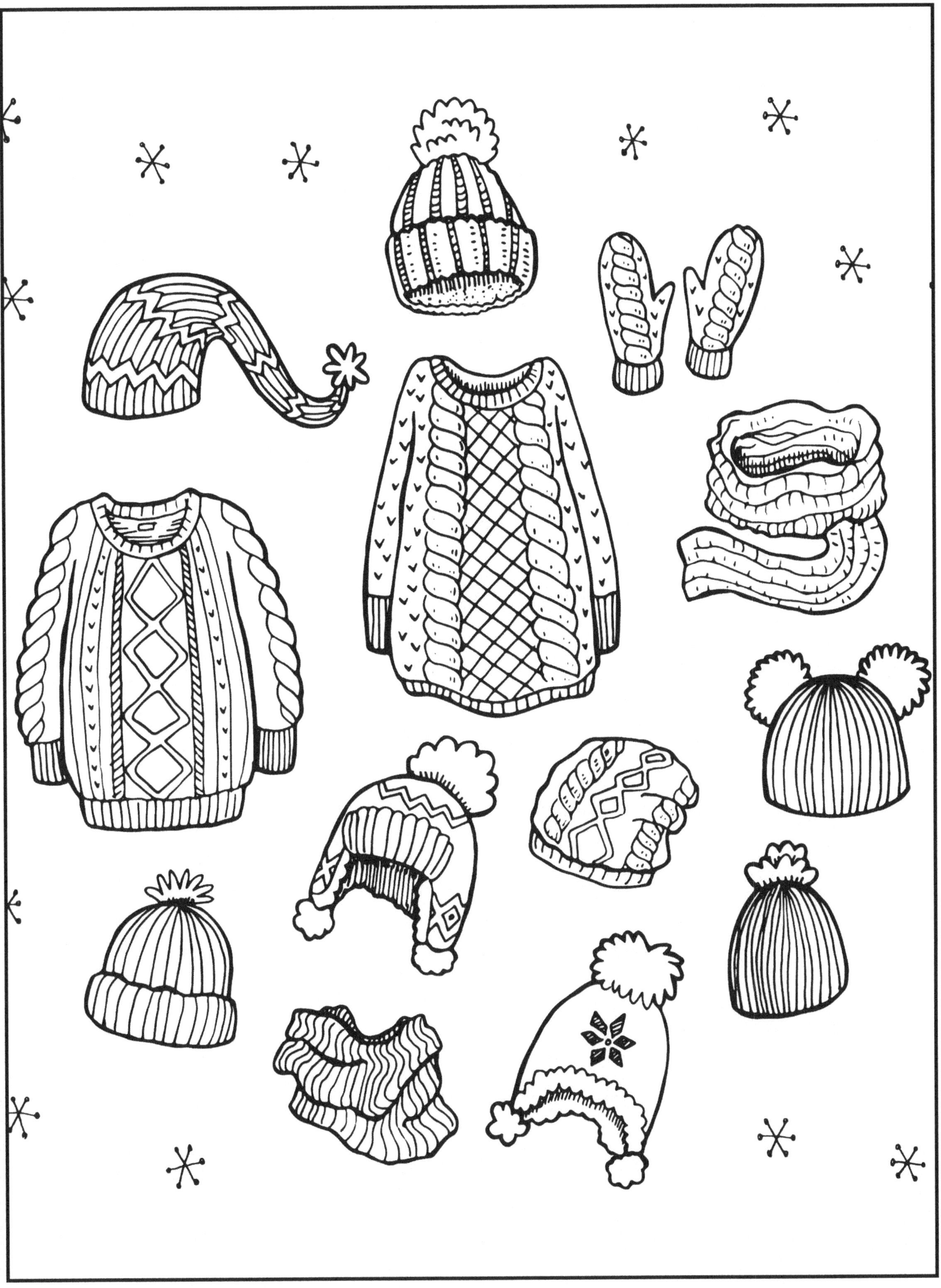

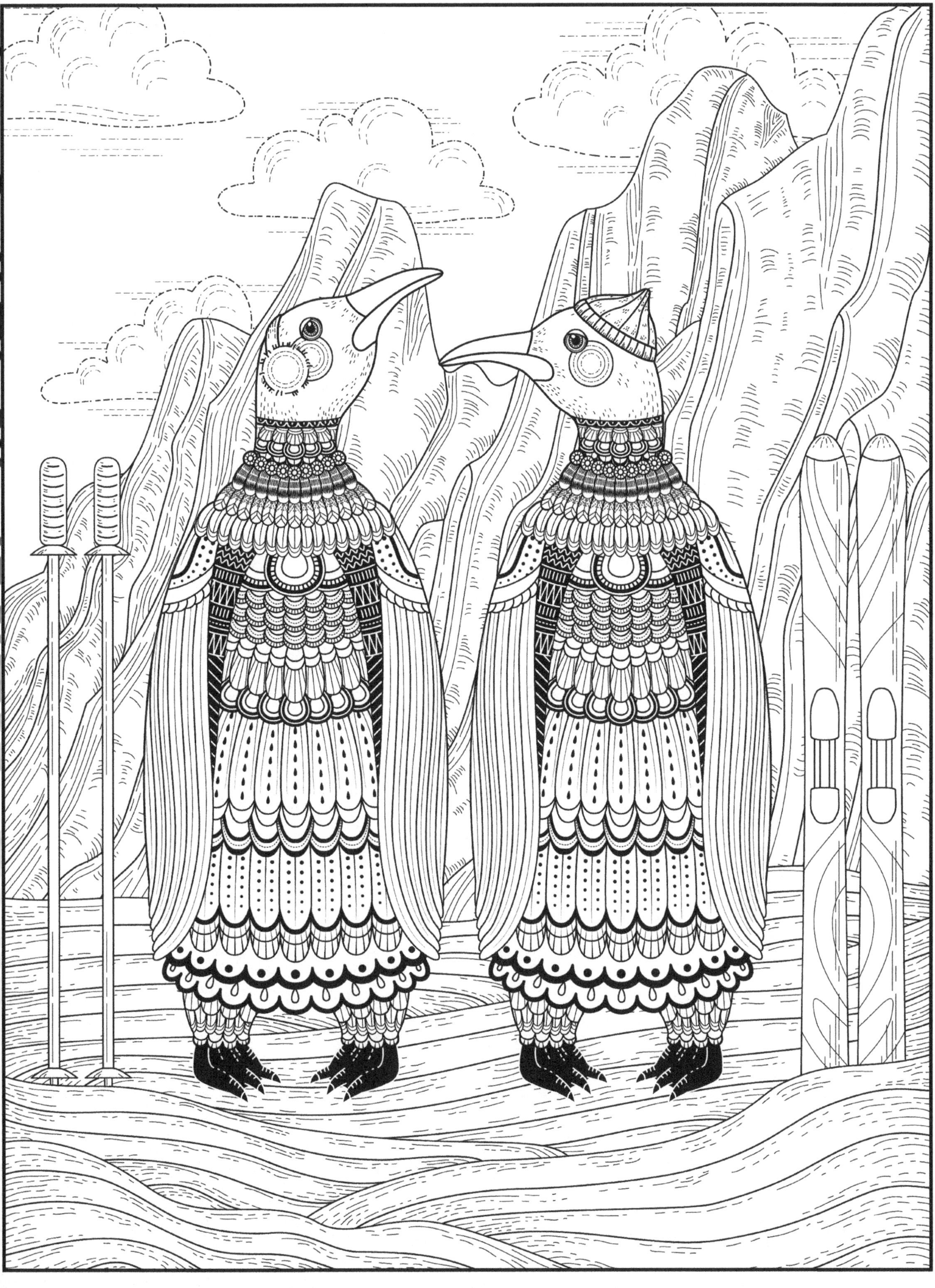

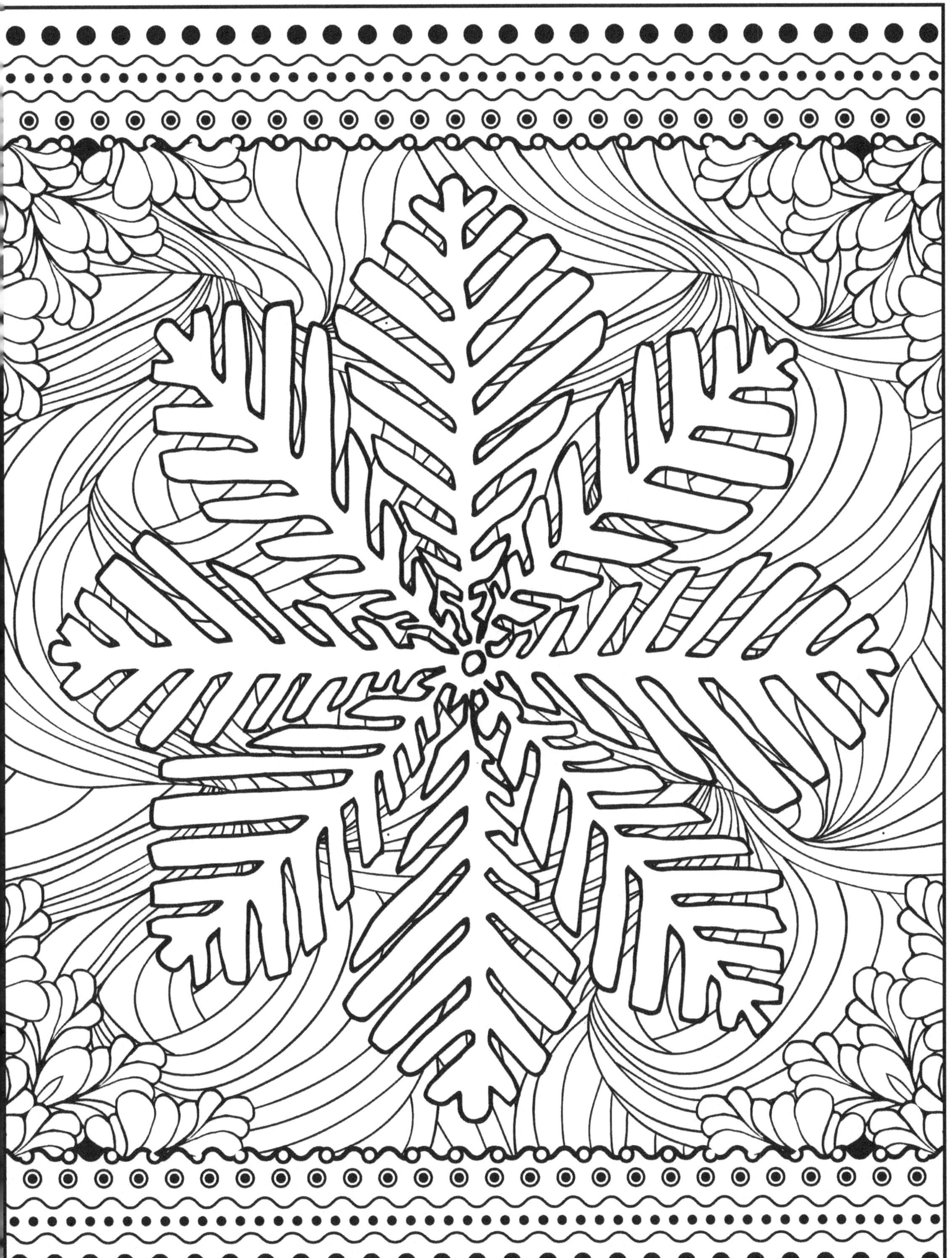

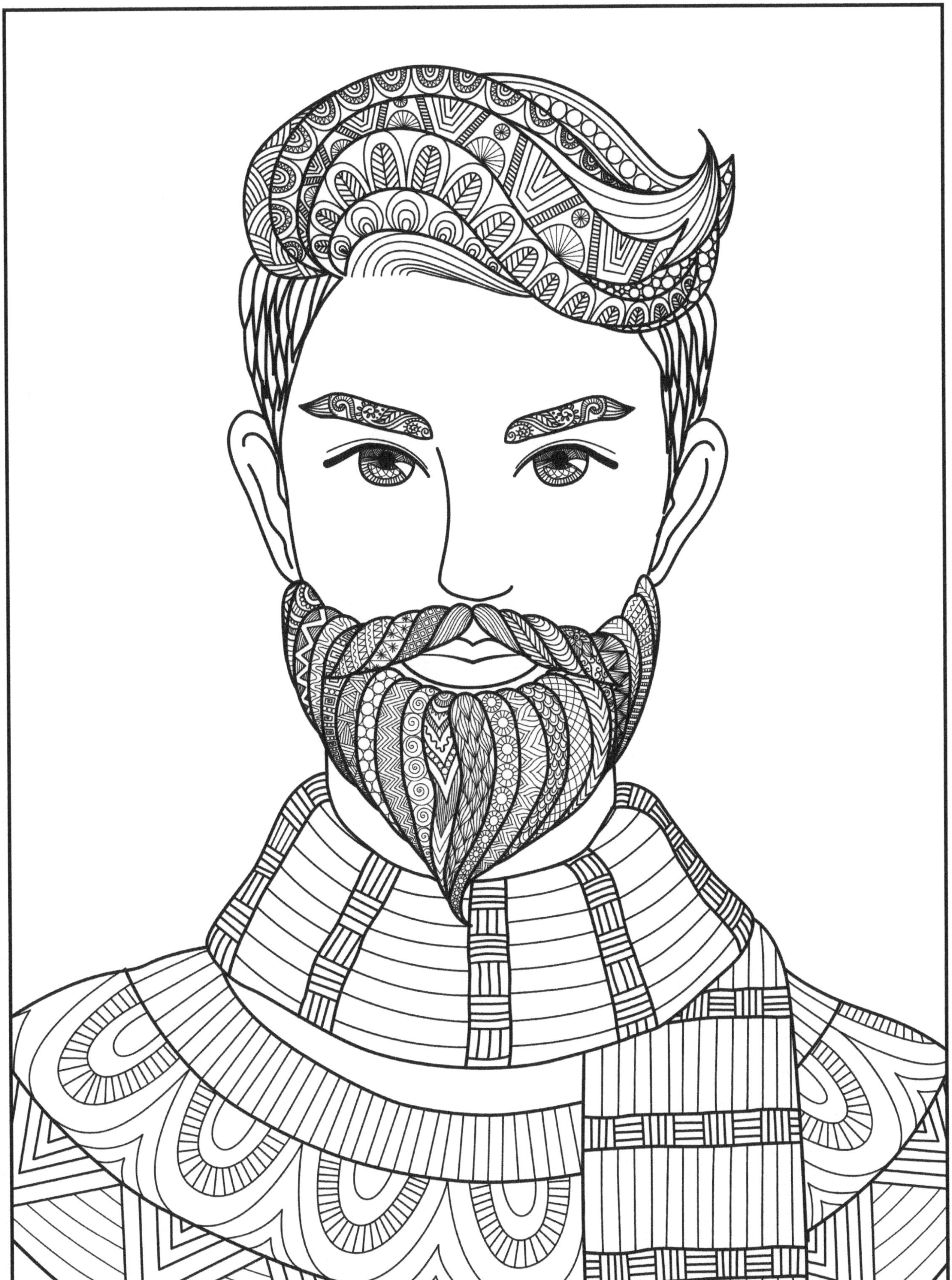

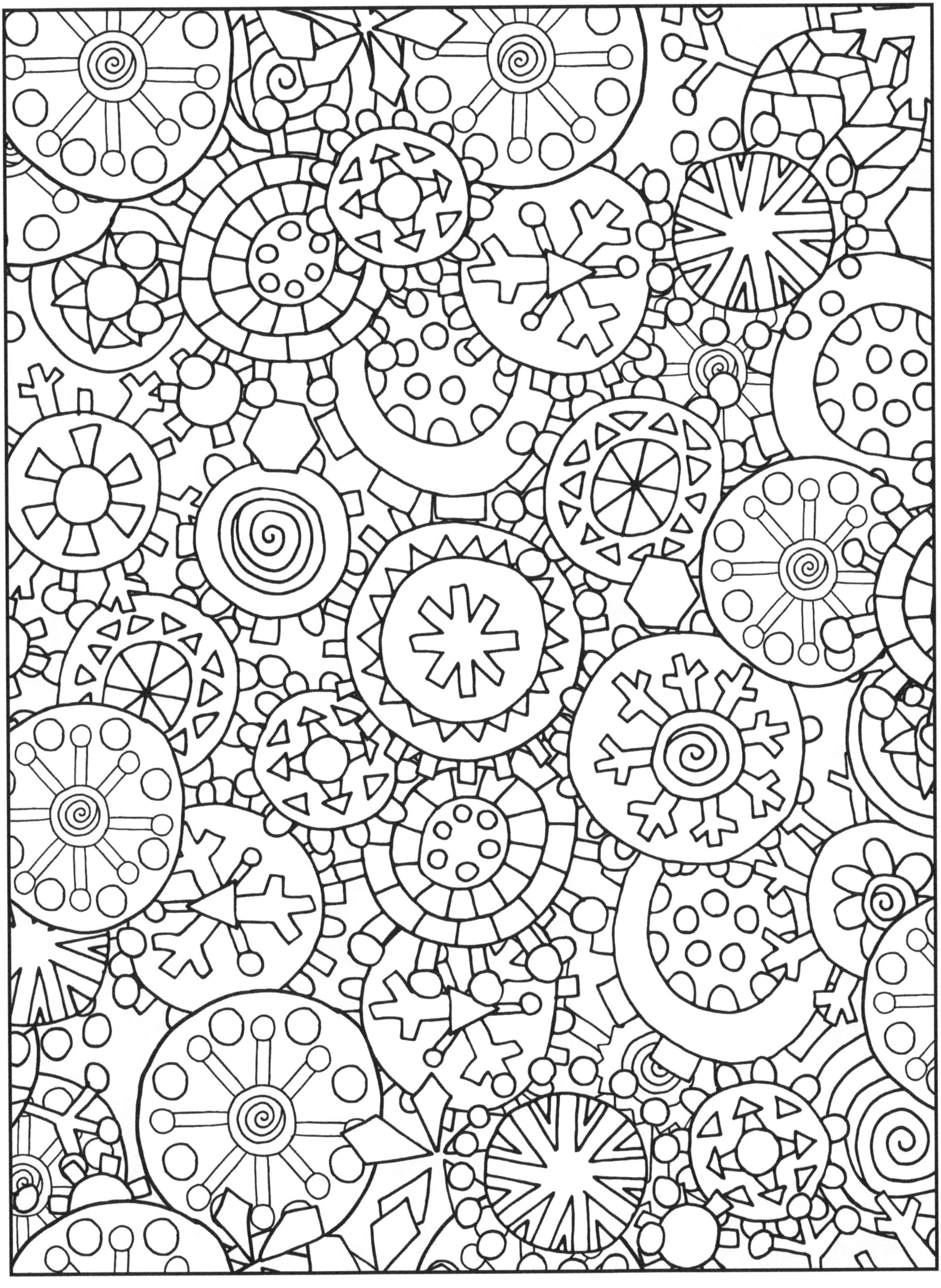

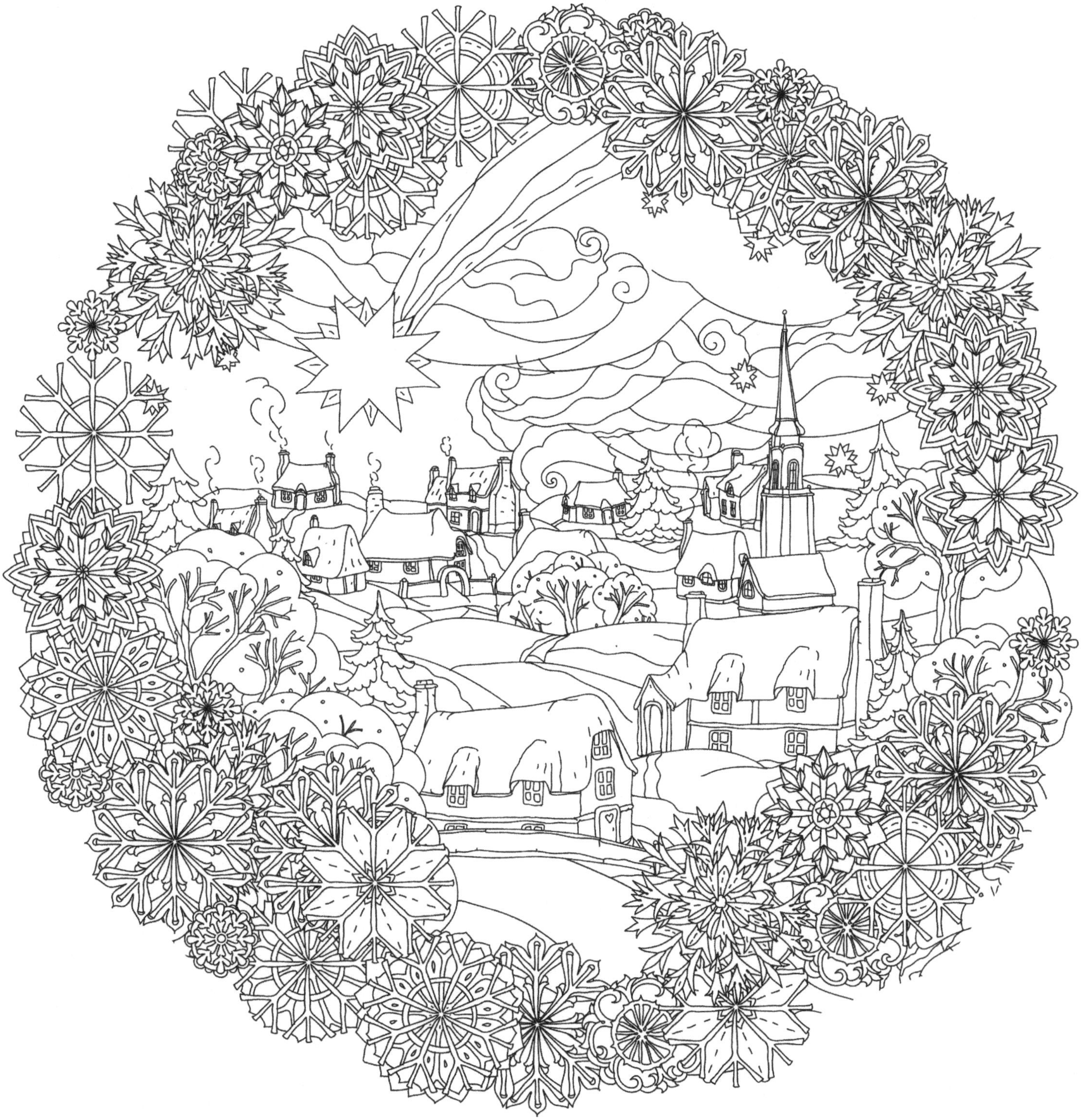

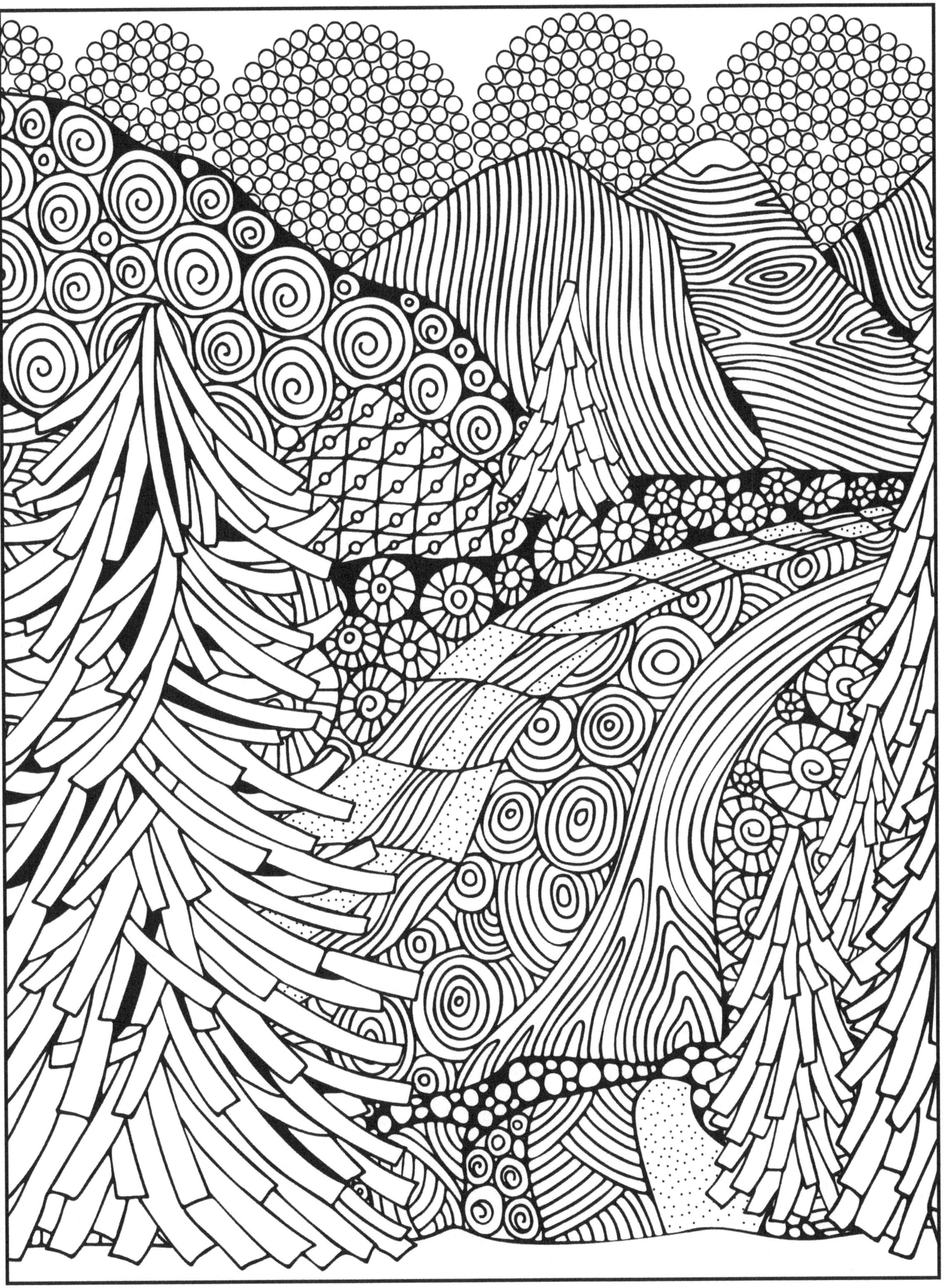

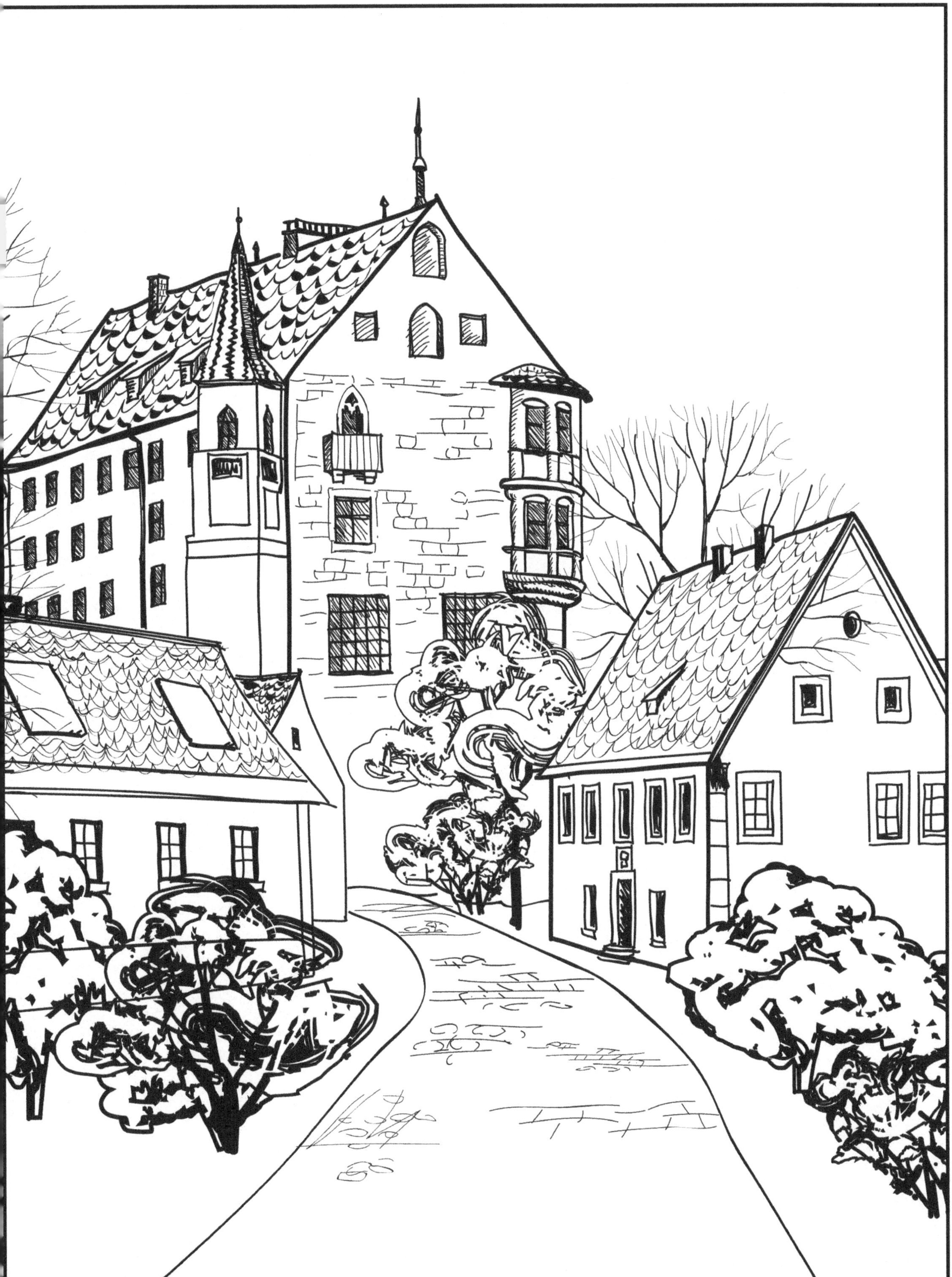

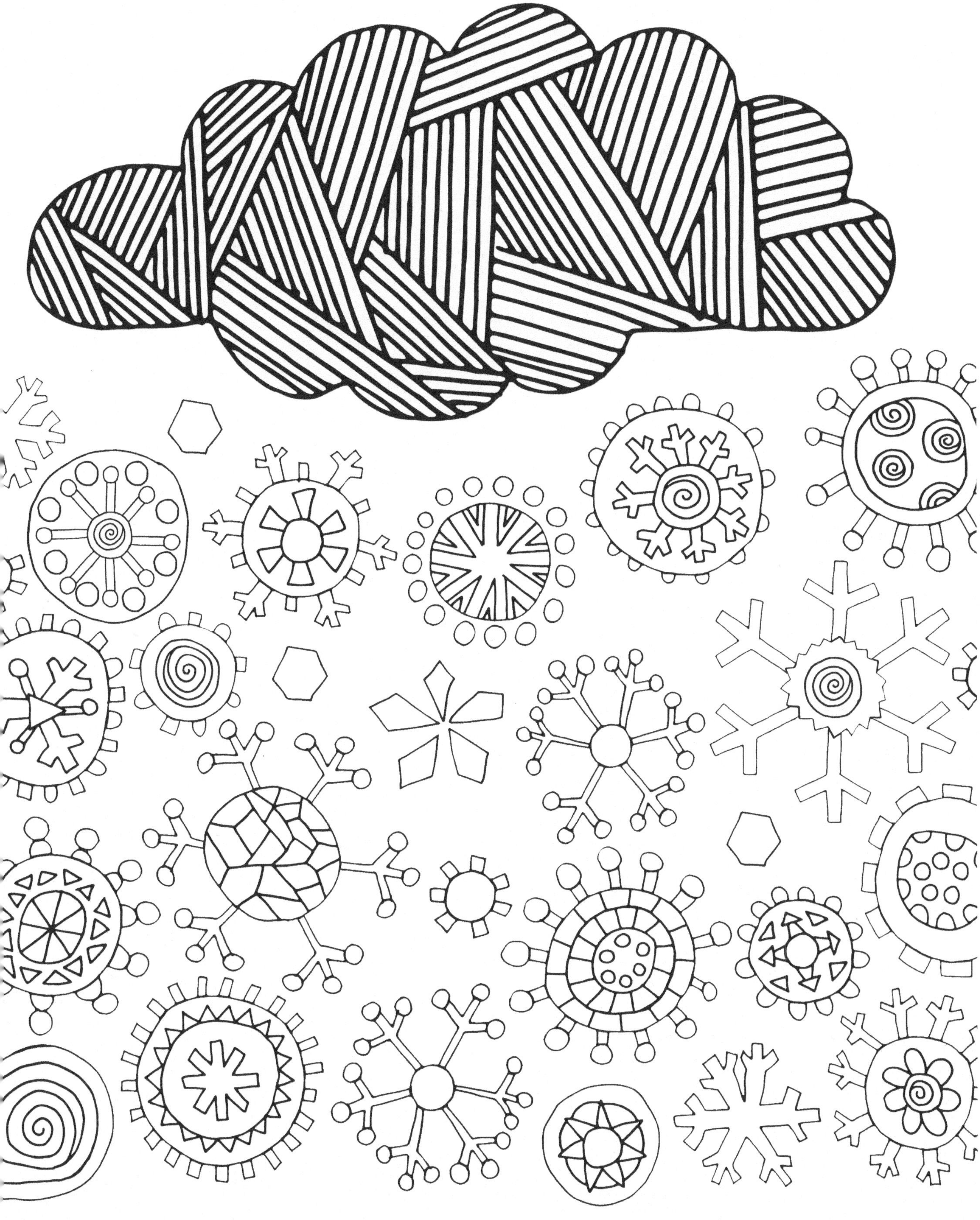

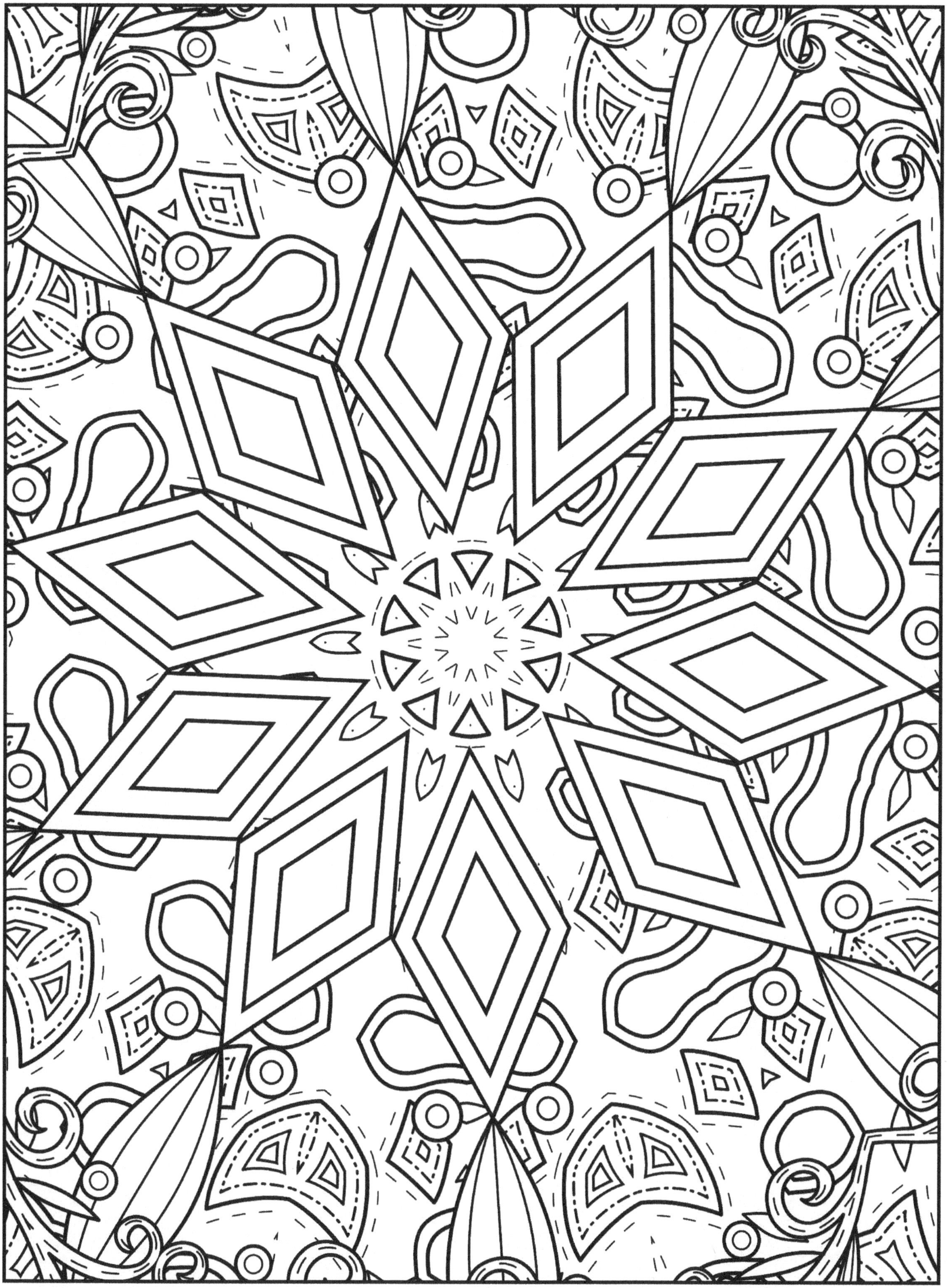

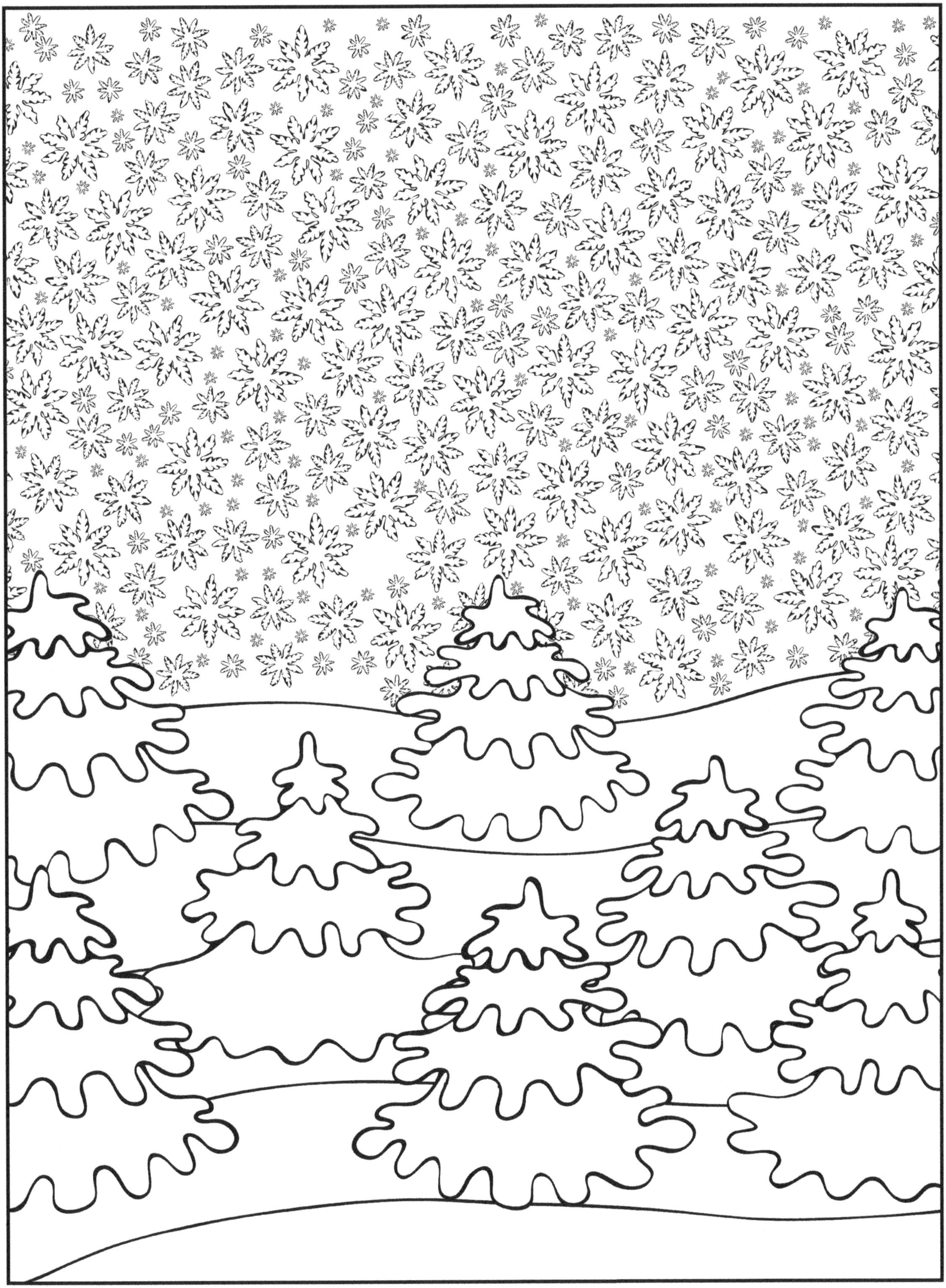

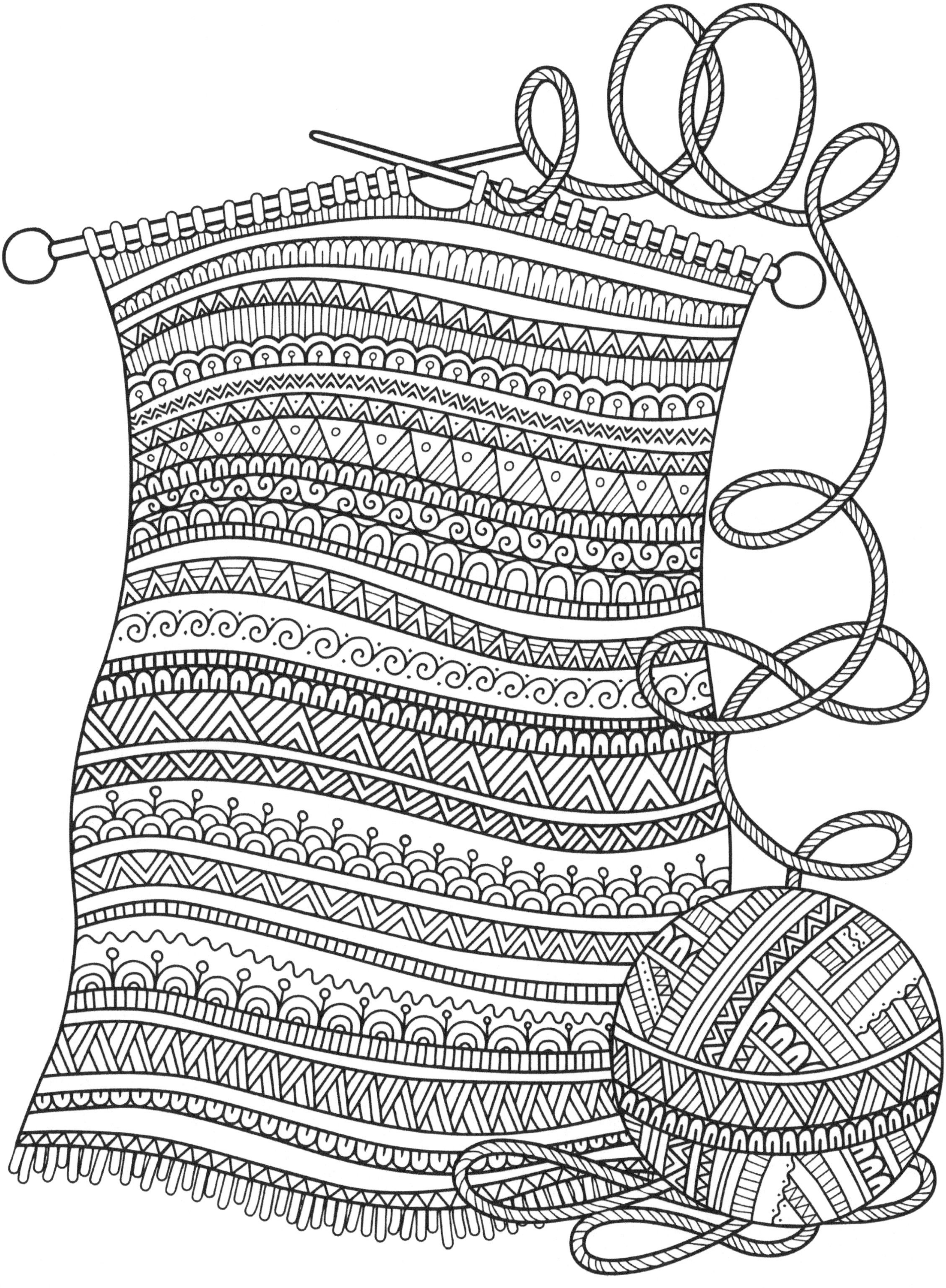

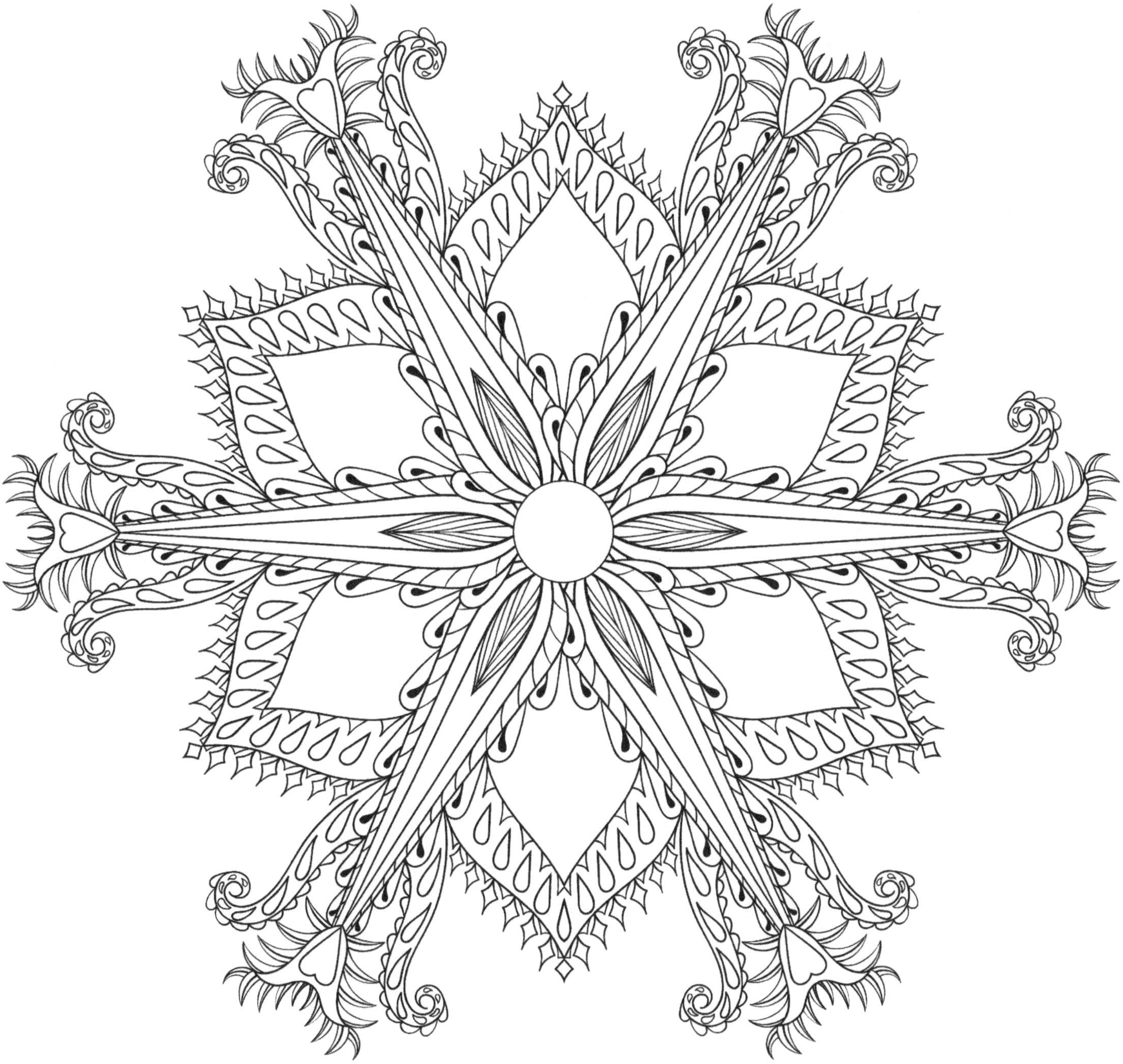

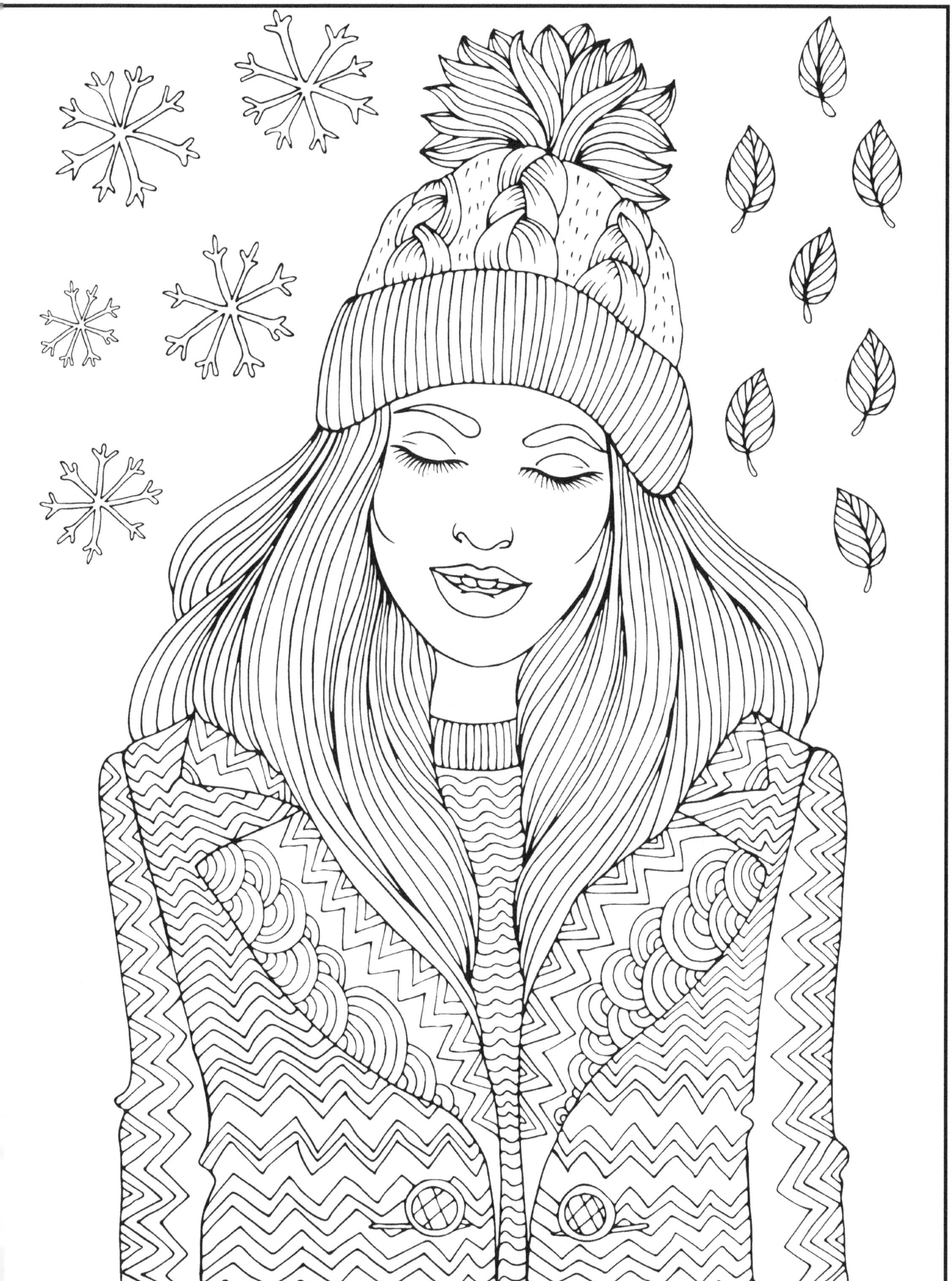

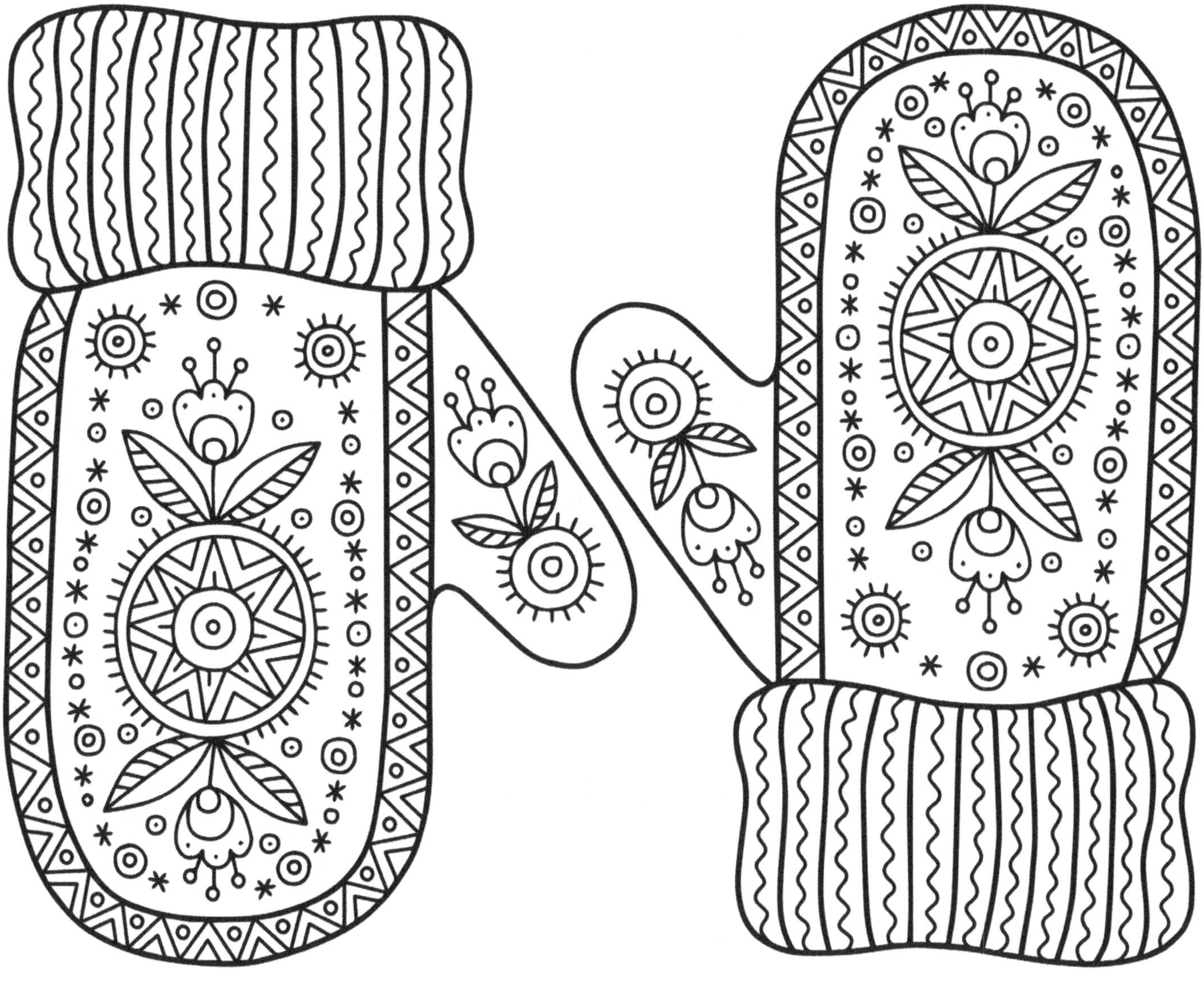

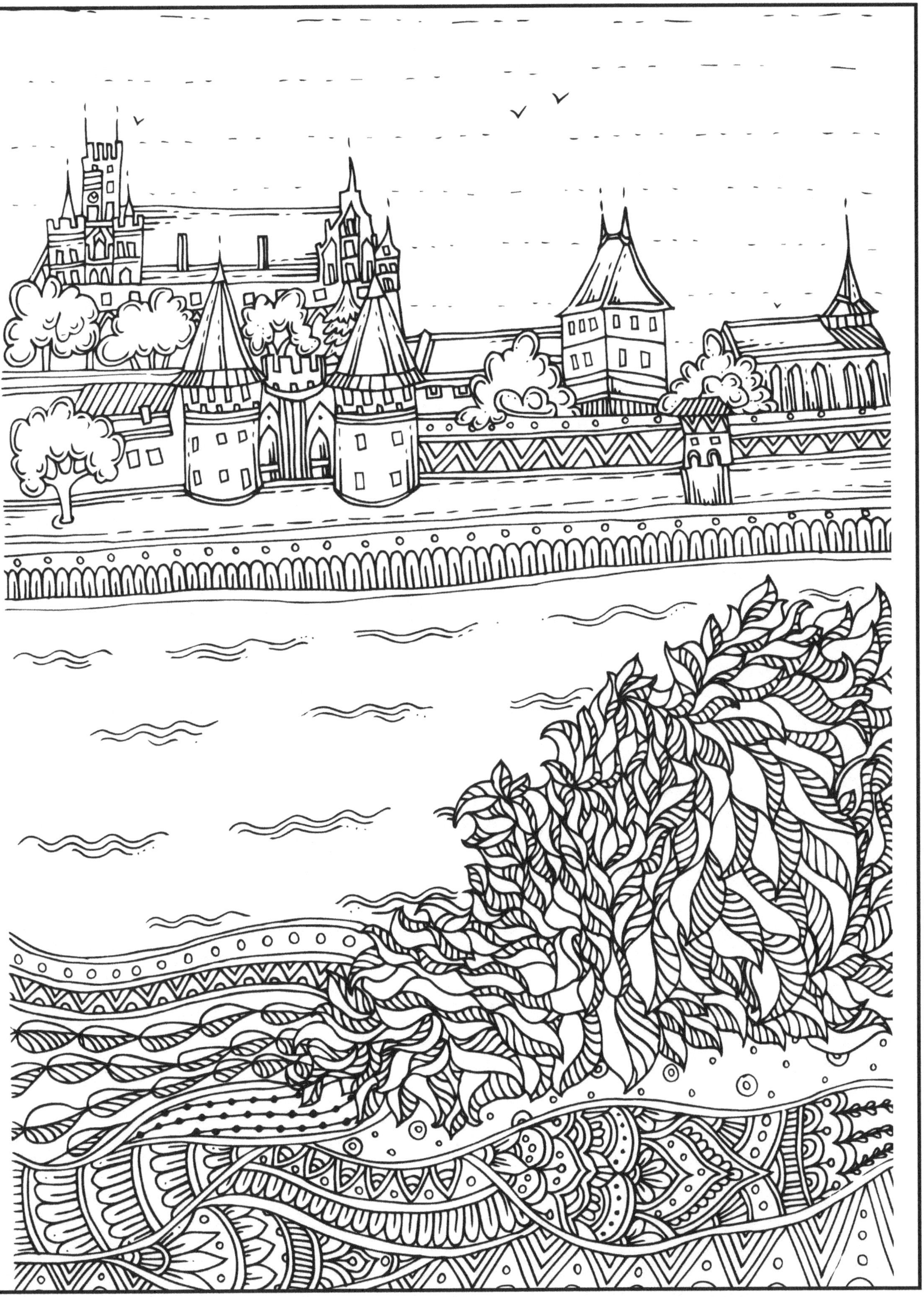

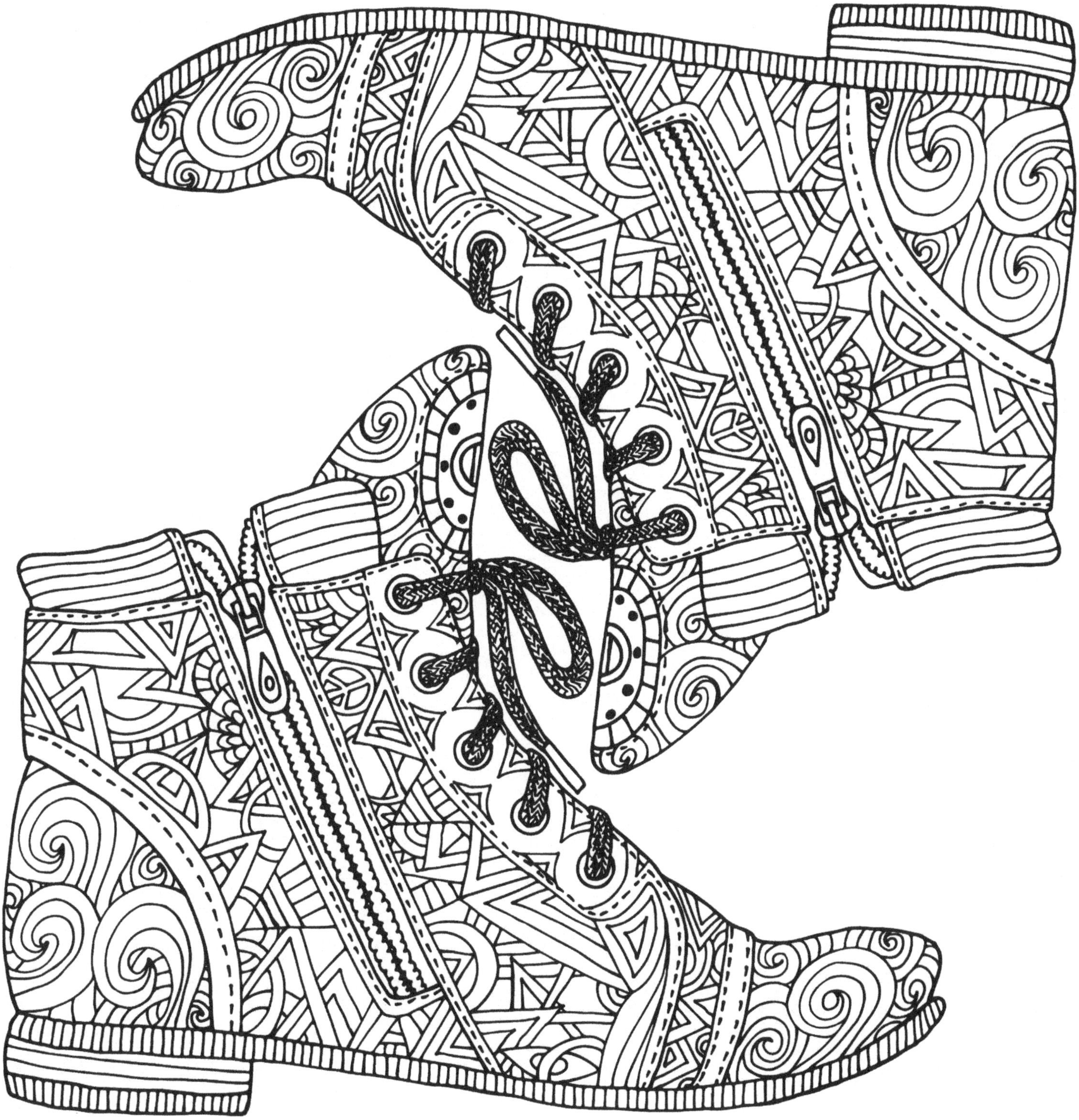

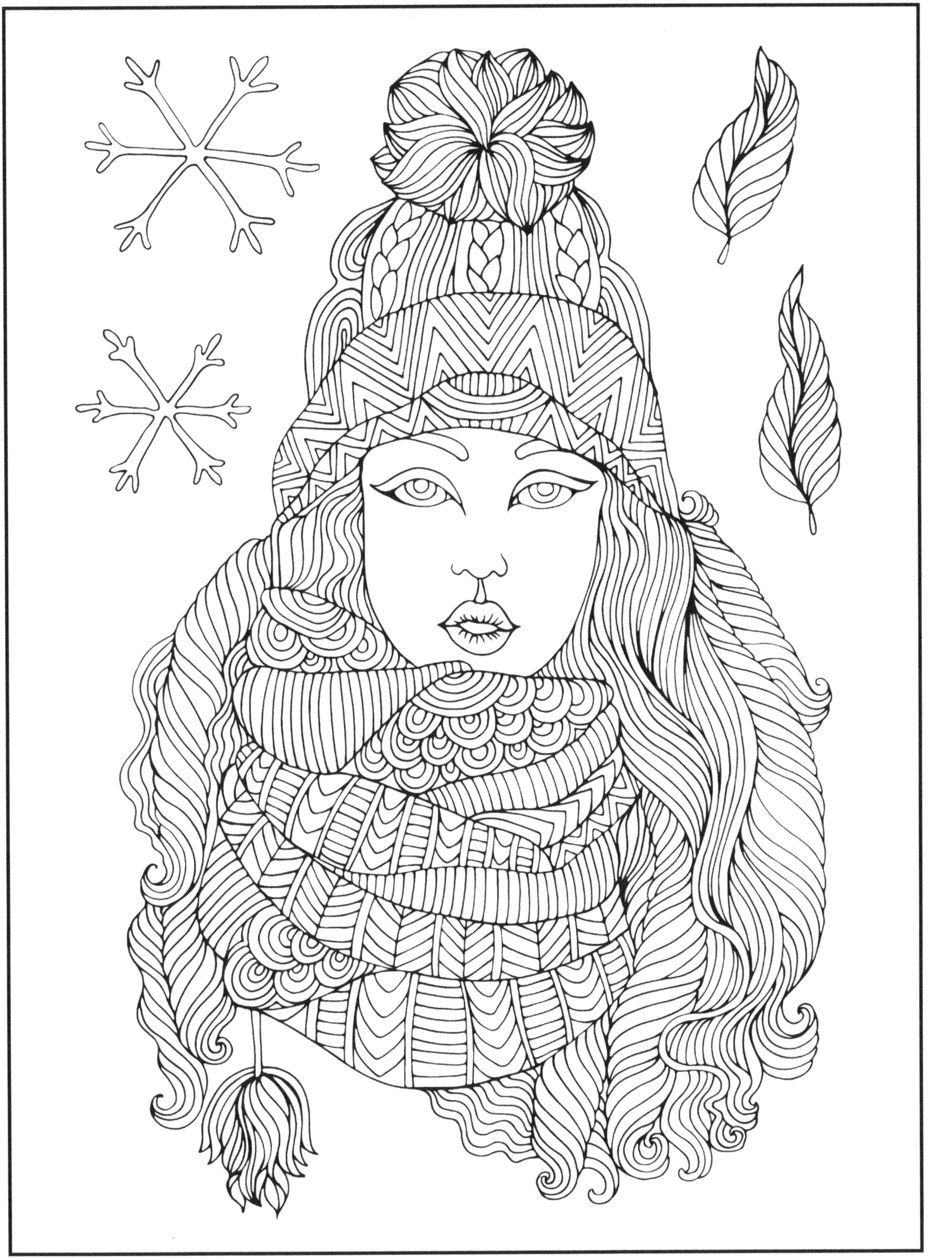

let it snow

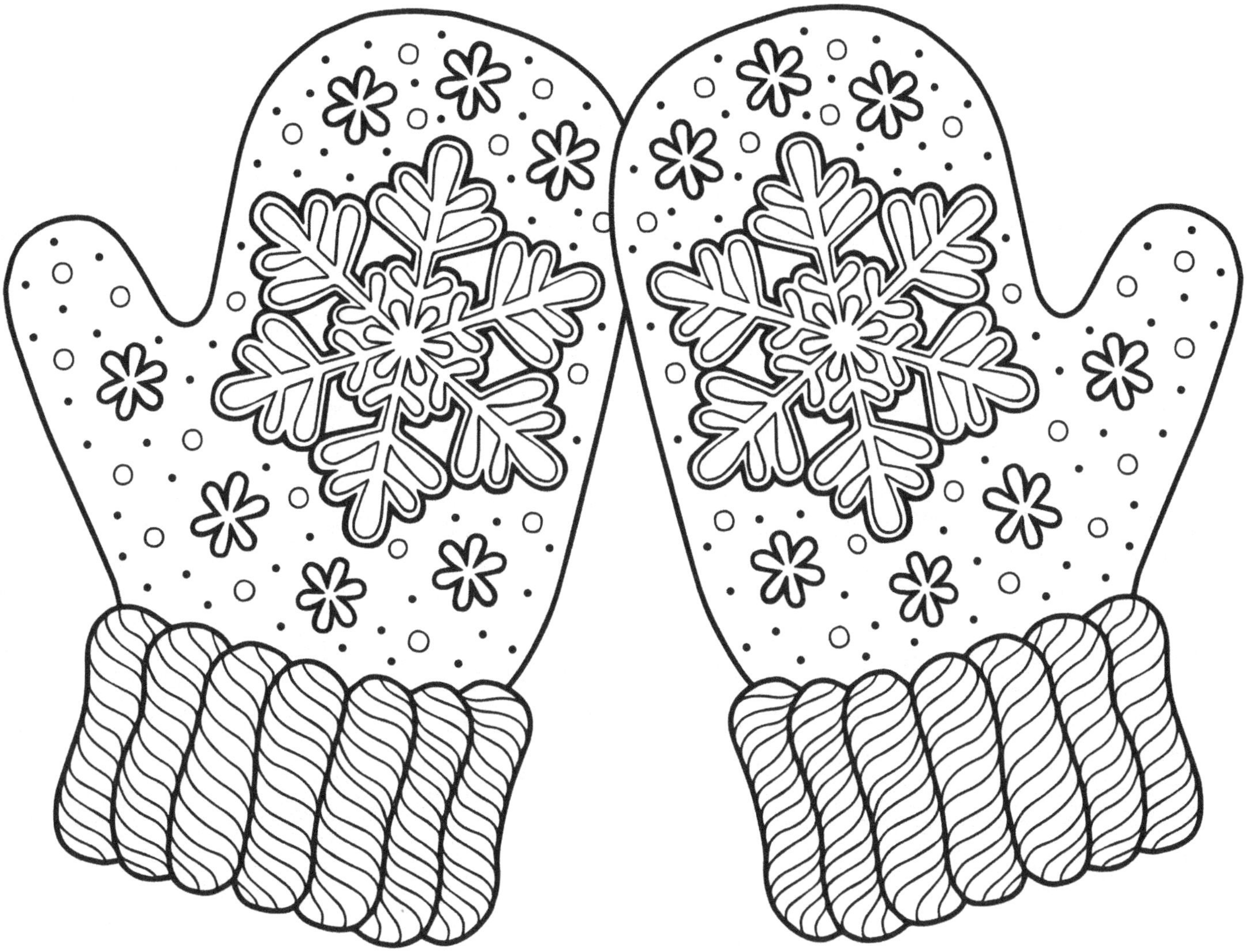

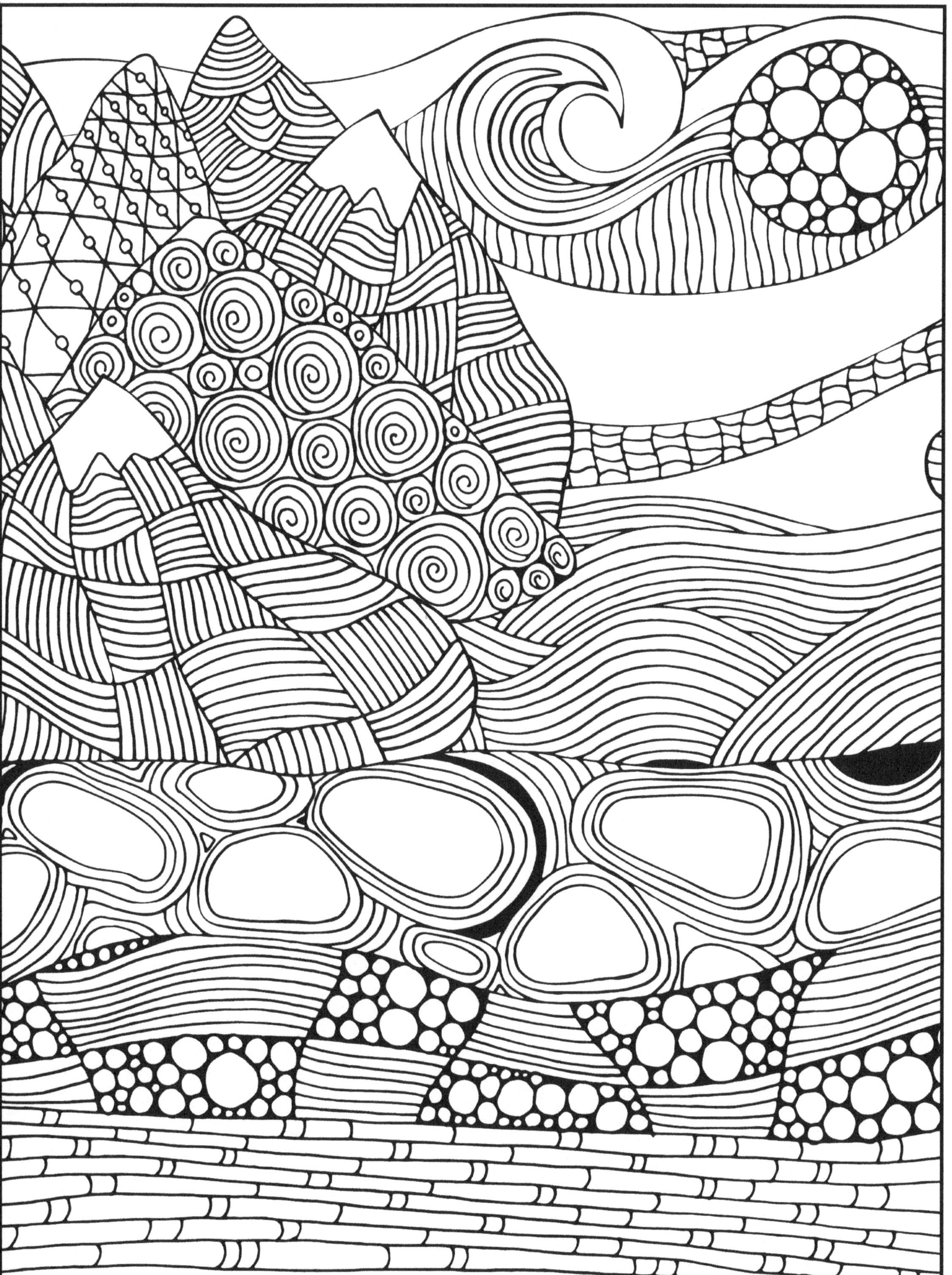

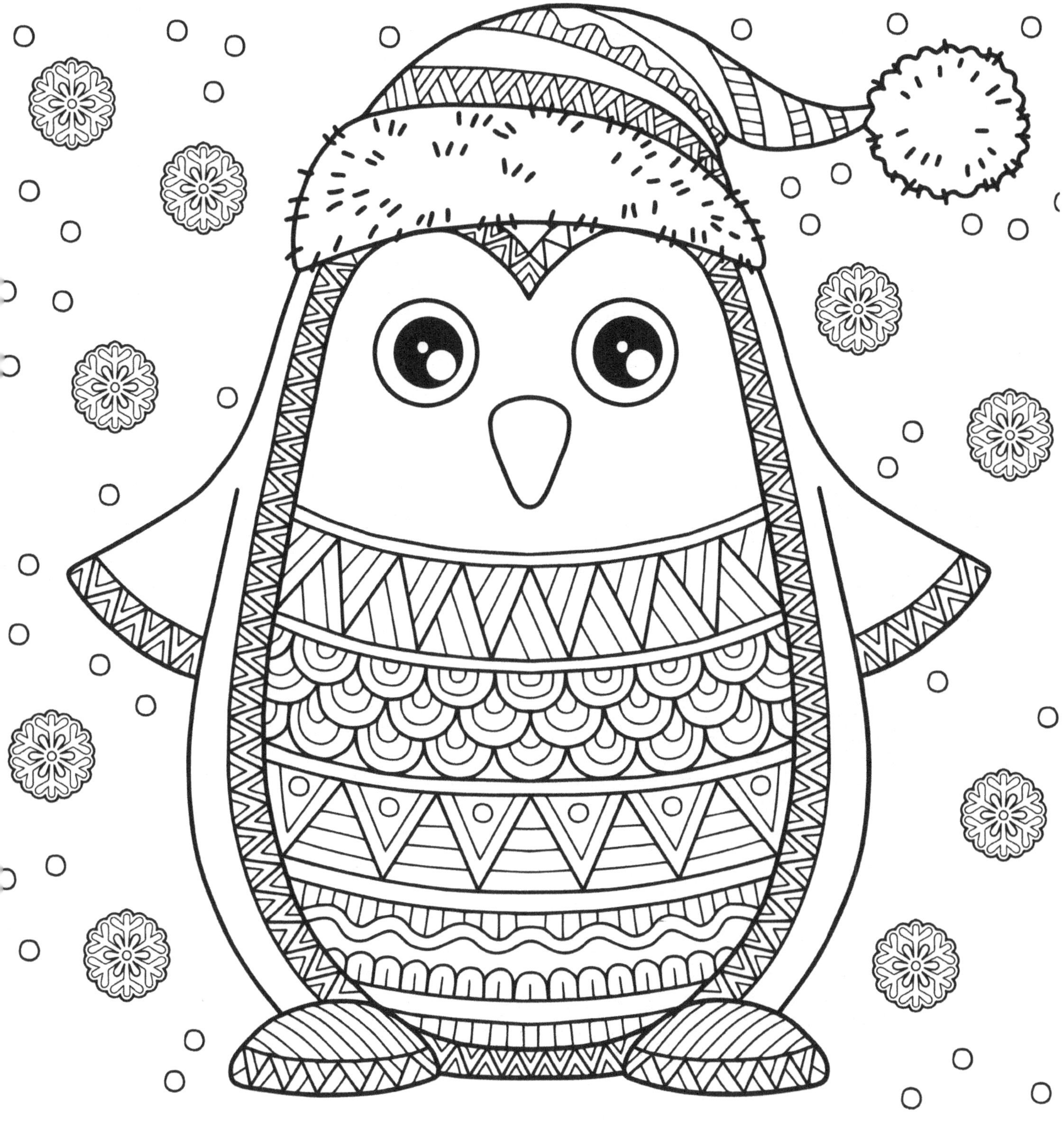

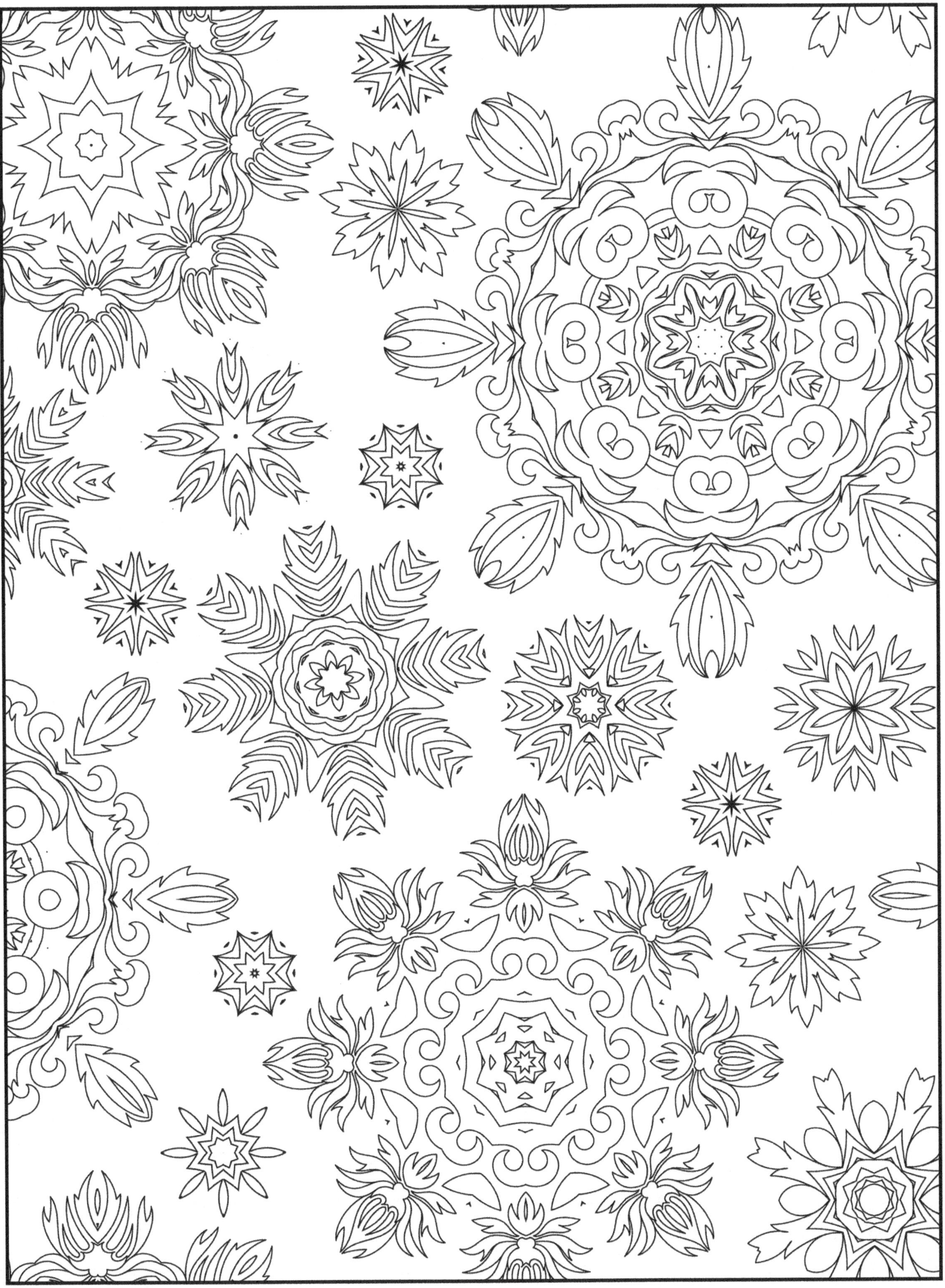

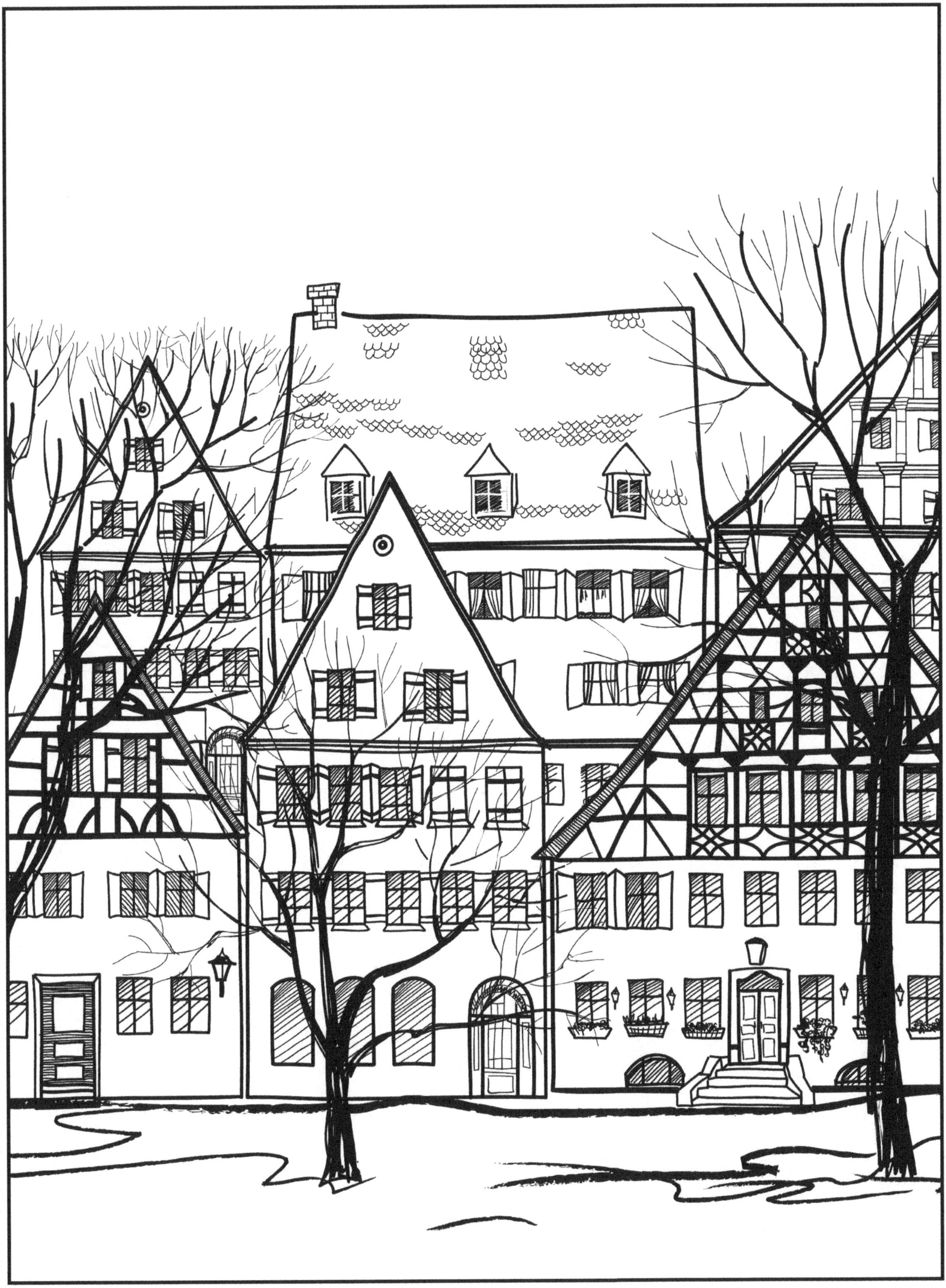

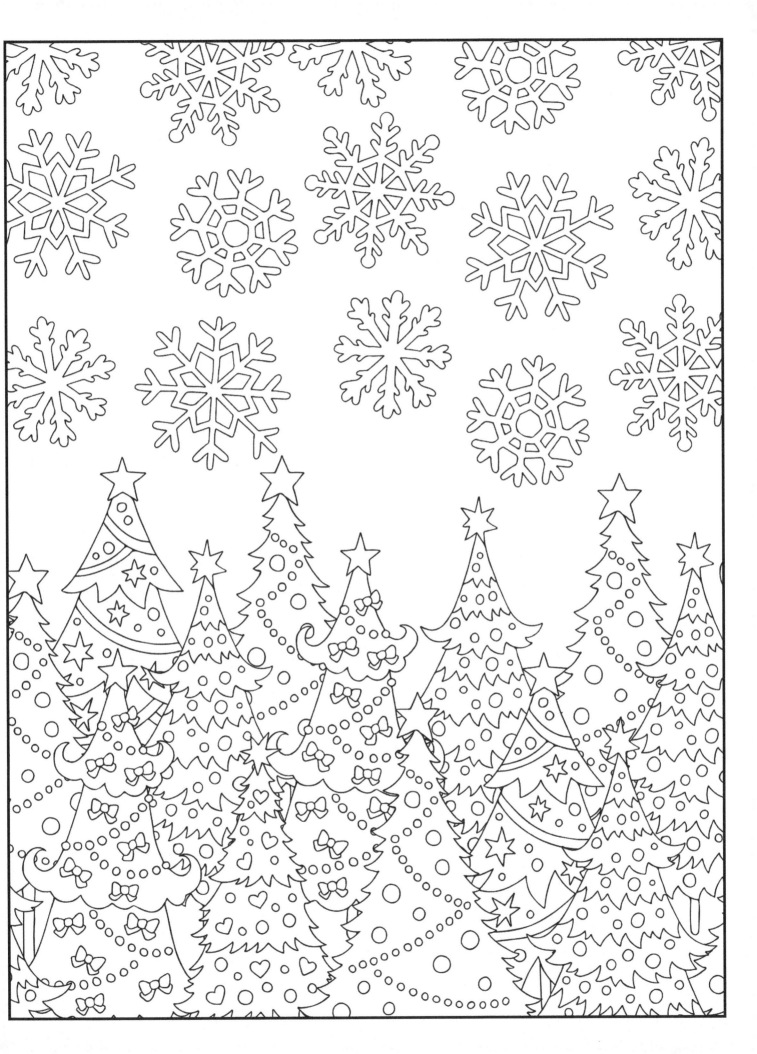

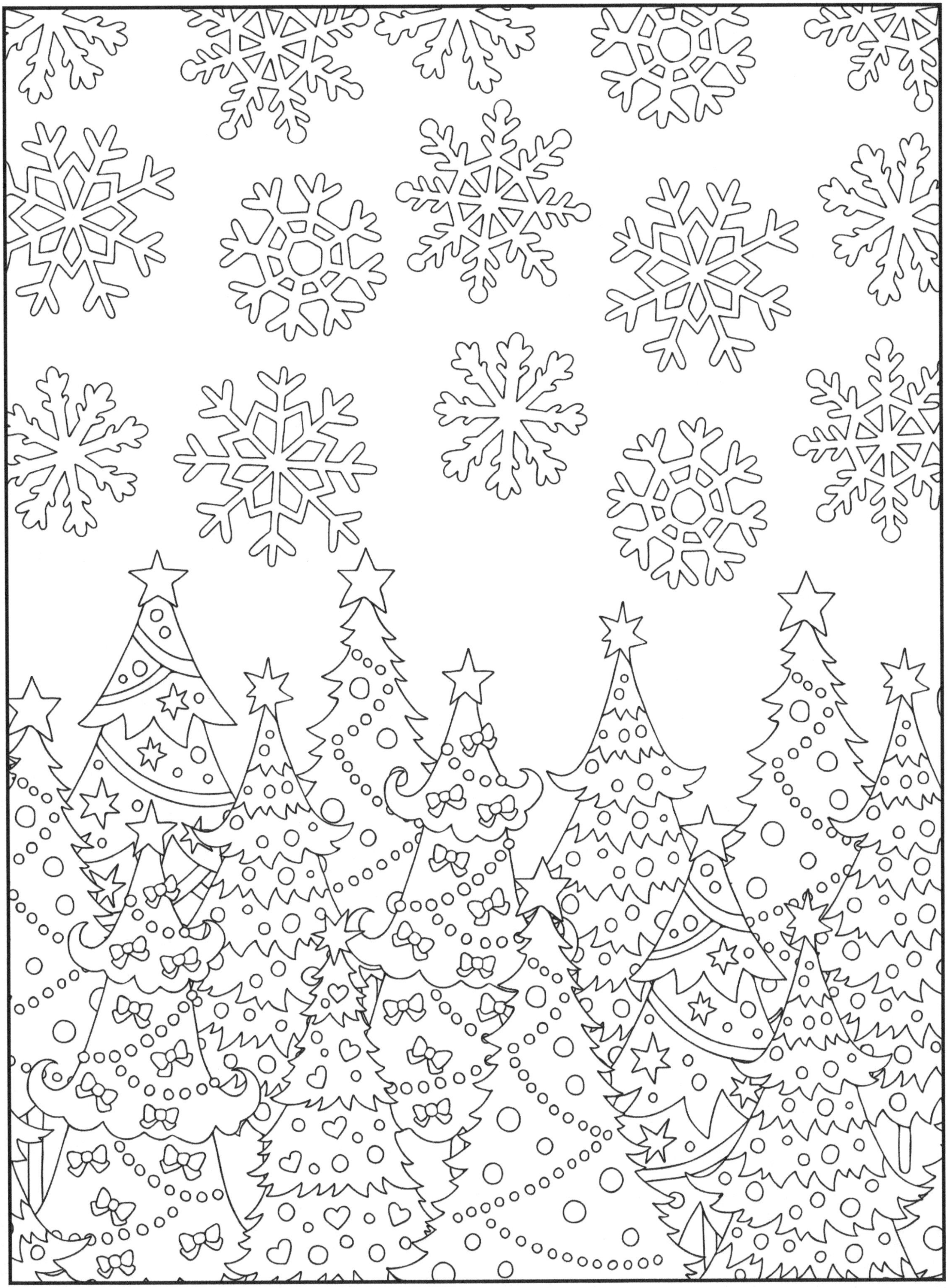

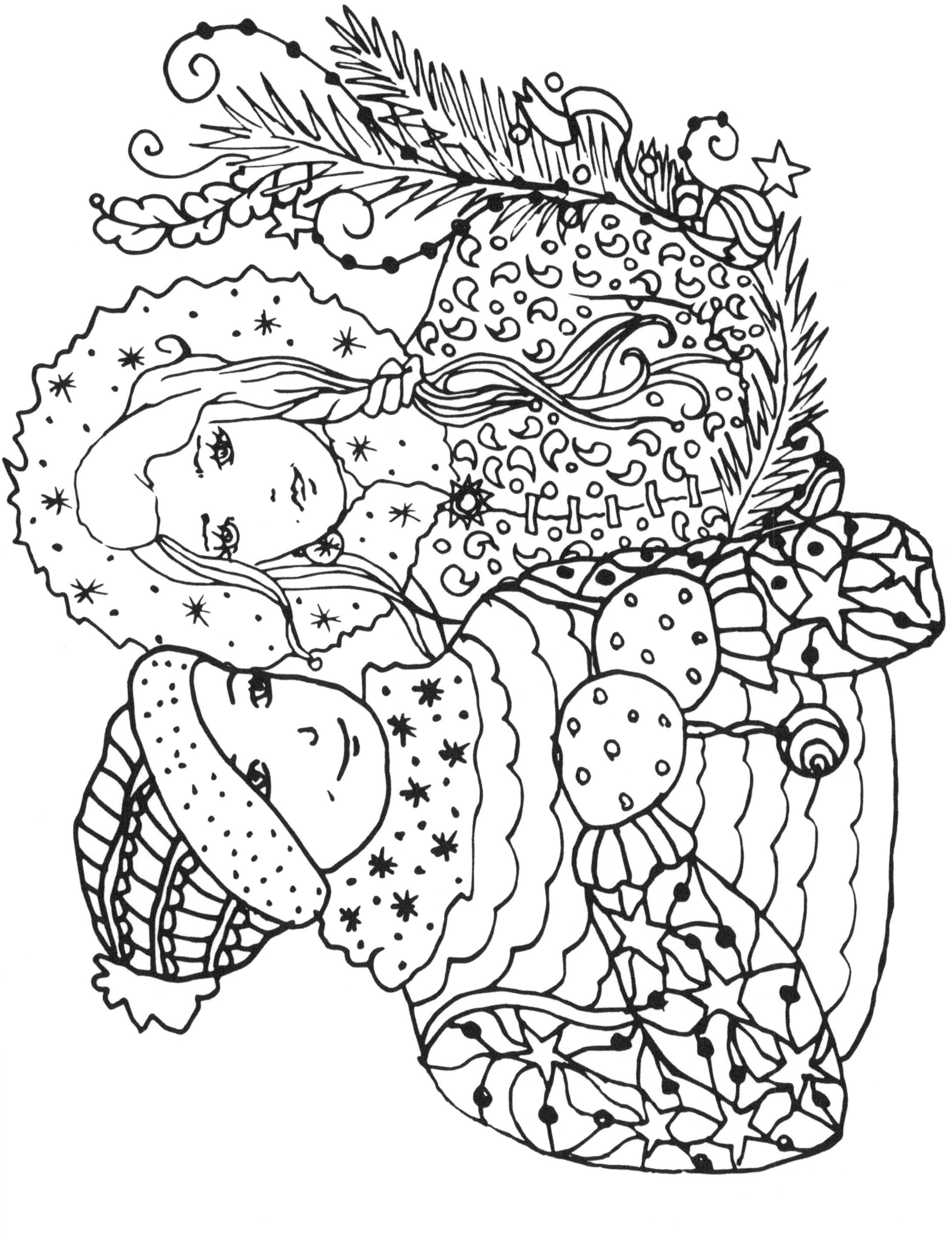

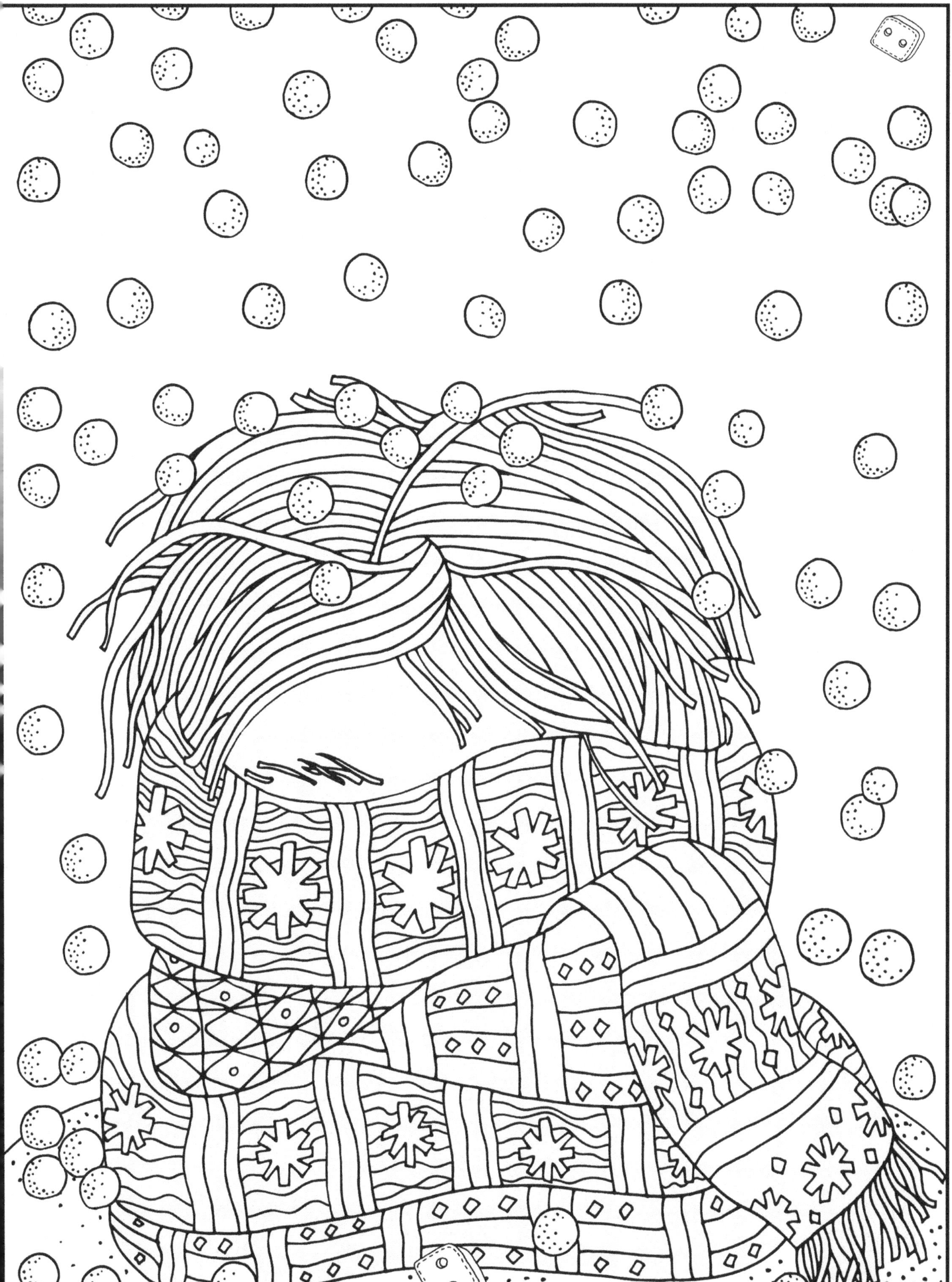

20030563R00046

Made in the USA
Middletown, DE
09 December 2018